Longman

VOCABULARY

MENTOR

JOY

START

Theme Words

2

Pearson

Longman
Vocabulary MENTOR JOY Start 2

지은이 교재개발연구소
편집 및 기획 English Nine
발행처 Pearson Education South Asia Pte Ltd.
판매처 inkedu(inkbooks)

전 화 02–455–9620 (주문 및 고객지원)
팩 스 02–455–9619
등 록 제 13–579호

ISBN 979-11-88228-26-3
잘못된 책은 구입처에서 바꿔 드립니다.

Longman

VOCABULARY MENTOR JOY

★ 초등 영어 단어 학습의 시작 ★ 콜로케이션으로 배우는 영단어 ★ 주제별로 익히는 단어 학습 ★

START

Theme Words

2

Pearson

VOCABULARY MENTOR JOY START 2

Vocabulary MENTOR JOY Start 시리즈는
총 2권으로 구성되어 있으며, 각 권당 200단어로
총 400단어를 학습하도록 구성되어 있습니다.

Book 1

 알파벳별로 대표 소리에 따른 단어 구성

 그림 제시를 통한 인지적 단어 학습

 친절한 발음 설명을 통한 소리 학습

생생한 문장을 통한 자연스런 단어 학습

Book 2

 일상생활과 연계된 주제별 단어 구성

 콜로케이션을 통한 실용적 단어 학습

 단어, 콜로케이션, 문장까지 확장 학습

 문제 풀이를 통한 자연스런 단어 학습

영어발음 기호표

영어를 시작하는 데 있어서 가장 기본은 영어 읽기입니다. 하지만 한글과 달리 영어는 소리와 철자가 완전히 일치하지 않기 때문에 단어를 올바르게 읽기가 쉽지 않습니다. 그래서 영단어의 소리를 제대로 표기한 발음기호표가 필요합니다. 『Vocabulary MENTOR JOY Start』에 첨부된 발음기호표를 통해 차근차근 영어의 발음기호를 읽는 법을 익히다 보면 영어 학습의 초석을 단단하게 다질 수 있을 것입니다.

모음

구분	[a]	[e]	[i]	[o]	[u]	[ə]	[ʌ]	[ɔ]	[ɛ]	[æ]
소리	아	에	이	오	우	어	어	오	에	애
기호	ㅏ	ㅔ	ㅣ	ㅗ	ㅜ	ㅓ	ㅓ	ㅗ	ㅔ	ㅐ

자음

1. 유성자음

구분	[b]	[d]	[j]	[l]	[m]	[n]	[r]	[v]	[z]	[dʒ]	[ʒ]	[tz]	[ð]	[h]	[g]	[ŋ]
소리	버	드	이	러	므	느	르	브	즈	쥐	지	쯔	뜨	흐	그	응
기호	ㅂ	ㄷ	ㅣ	ㄹ	ㅁ	ㄴ	ㄹ	ㅂ	ㅈ	쥬	ㅈ	ㅉ	ㄸ	ㅎ	ㄱ	ㅇ

2. 무성자음

구분	[f]	[k]	[p]	[s]	[t]	[ʃ]	[tʃ]	[θ]	[ŋ]
소리	프	크	퍼	스	트/츠	쉬	취	쓰	응
기호	ㅍ	ㅋ	ㅍ	ㅅ	ㅌ/ㅊ	수	추	ㅆ	ㅇ

• t 뒤에 r이 올 경우에는 [t]가 [트]가 아닌 [츠] 소리가 납니다. 예를 들어, tree나 truck에서 t는 [츠] 소리가 납니다.

How to Use This Book

실제 생활과 연계된 주제별 단어 200개를 학습할 수 있습니다. 특히, 콜로케이션을 통해 단어의 실제 쓰임을 자연스럽게 익힐 수 있습니다. 단어와 콜로케이션 소개, 써보기와 문제 풀이 등으로 구성되어 있고, 스스로 복습할 수 있는 워크북과 단어 쓰기 노트를 함께 제공하고 있습니다.

1단계

콜로케이션을 통해 단어의 일상적인 쓰임을 자연스럽게 익힐 수 있습니다. 또한 원어민의 발음을 통해서 단어의 정확한 소리를 확인할 수 있고, 학습한 단어를 직접 써봄으로써 암기에도 효과적입니다.

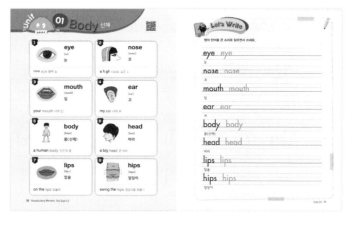

2단계

문제 풀이를 통해 단어를 효과적으로 학습할 수 있습니다. 단어를 다양한 방법으로 학습함으로써 단어를 완전히 나의 것으로 만들 수 있습니다.

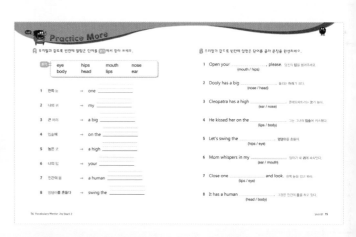

3단계

이제 학습한 단어를 실제로 사용하는 연습을 합니다. 여기에 사용된 유용한 콜로케이션과 간단한 문장들은 실제로 단어를 활용하는 데 크게 도움이 됩니다

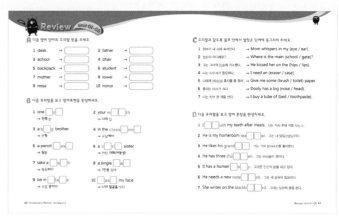

4단계

유닛 5개가 끝나면 학습한 40개의 단어를 다시 한 번 확인할 수 있도록 리뷰 파트가 제공됩니다. 리뷰를 통해서 단어를 반복 학습할 수 있습니다.

5단계

제공된 워크북과 단어 쓰기 노트는 학생 스스로 단어를 학습할 수 있도록 구성하였습니다. 수업 시간에 배운 단어를 집에서 복습할 수 있습니다.

Contents

1. eye
[ai]
눈

one eye 한쪽 눈

2. nose
[nouz]
코

a high nose 높은 코

3. mouth
[mauθ]
입

your mouth 너의 입

4. ear
[iər]
귀

my ear 나의 귀

5. body
[bádi]
몸(신체)

a human body 인간의 몸

6. head
[hed]
머리

a big head 큰 머리

7. lips
[lips]
입술

on the lips 입술에

8. hips
[hips]
엉덩이

swing the hips 엉덩이를 흔들다

Let's Write

영어 단어를 큰 소리로 읽으면서 쓰세요.

eye eye
눈

nose nose
코

mouth mouth
입

ear ear
귀

body body
몸(신체)

head head
· 머리

lips lips
입술

hips hips
엉덩이

Practice

A 단어에 알맞은 그림을 찾아 번호를 쓰세요.

eye ①   lips ◯   ear ◯   nose ◯

B 우리말 뜻에 맞는 단어를 찾아 동그라미 하세요.

1 입
2 몸(신체)
3 머리
4 엉덩이

1 a w m o u t h u

2 c y t b o d y p s

3 i u h e a d u y a

4 a c h i p s e u n

C 단어의 알맞은 뜻을 선으로 연결한 후, 빈칸에 철자를 써서 단어를 완성하세요.

1 ear   •   •   입술 → l [ ] p [ ]

2 nose   •   •   코 → [ ] o [ ] e

3 eye   •   •   귀 → [ ] a [ ]

4 lips   •   •   눈 → [ ] [ ] e

D 보기 의 철자를 이용하여 번호 그림에 알맞은 단어를 완성하세요.

보기
d
h
o
p
t

1 [ ] i [ ] s

2 m [ ] u [ ] h

3 b [ ] [ ] y

4 [ ] ea [ ]

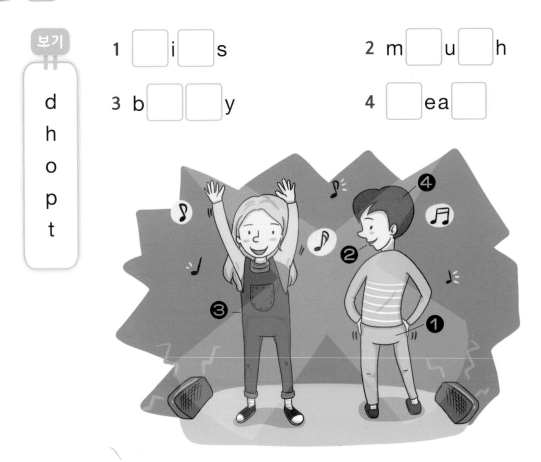

A 우리말과 같도록 빈칸에 알맞은 단어를 보기 에서 찾아 쓰세요.

보기

eye	hips	mouth	nose
body	head	lips	ear

1 한쪽 눈 → one _____

2 나의 귀 → my _____

3 큰 머리 → a big _____

4 입술에 → on the _____

5 높은 코 → a high _____

6 너의 입 → your _____

7 인간의 몸 → a human _____

8 엉덩이를 흔든다 → swing the _____

B 우리말과 같도록 빈칸에 알맞은 단어를 골라 문장을 완성하세요.

1 Open your _____, please. 당신의 입을 벌려 주세요.
(mouth / hips)

2 Dooly has a big _____. 둘리는 머리가 크다.
(nose / head)

3 Cleopatra has a high _____. 클레오파트라는 코가 높다.
(ear / nose)

4 He kissed her on the _____. 그는 그녀의 입술에 키스했다.
(lips / body)

5 Let's swing the _____. 엉덩이를 흔들자.
(hips / eye)

6 Mom whispers in my _____. 엄마가 내 귀에 속삭인다.
(ear / mouth)

7 Close one _____ and look. 한쪽 눈을 감고 봐라.
(lips / eye)

8 It has a human _____. 그것은 인간의 몸을 하고 있다.
(head / body)

1

mother
[mʌ́ðər]
어머니

my mother 나의 어머니

2

father
[fɑ́:ðər]
아버지

Tom's father 톰의 아버지

3

grandpa
[grǽndpà:]
할아버지

his grandpa 그의 할아버지

4
grandma
[grǽnmà:]
할머니

your grandma 너의 할머니

5

big
[big]
큰, 나이 많은

a big brother 큰형

6

little
[lítl]
작은, 어린

a little sister 어린 자매(여동생)

7

twin
[twin]
쌍둥이

twin sons 쌍둥이 아들들

8

children
[tʃíldrən]
아이들

three children 세 명의 아이들

영어 단어를 큰 소리로 읽으면서 쓰세요.

mother mother

어머니

father father

아버지

grandpa grandpa

할아버지

grandma grandma

할머니

big big

큰, 나이 많은

little little

작은, 어린

twin twin

쌍둥이

children children

아이들

Practice

A 단어에 알맞은 그림을 찾아 번호를 쓰세요.

mother ◯ grandpa ◯ father ◯ grandma ◯

B 우리말 뜻에 맞는 단어를 찾아 동그라미 하세요.

1 큰, 나이 많은
2 작은, 어린
3 쌍둥이
4 아이들

1 a c y b i g e d a
2 b l i t t l e o q s
3 a u k t w i n o w
4 c h i l d r e n k i

C 단어의 알맞은 뜻을 선으로 연결한 후, 빈칸에 철자를 써서 단어를 완성하세요.

1 mother ● ● 할아버지 → [ ]rand[ ]a

2 father ● ● 할머니 → gran[ ]m[ ]

3 grandpa ● ● 어머니 → m[ ]th[ ]r

4 grandma ● ● 아버지 → [ ]athe[ ]

D 보기의 철자를 이용하여 번호 그림에 알맞은 단어를 완성하세요.

보기

e
g
i
n

1 tw[ ][ ]

2 ch[ ]ldre[ ]

3 b[ ][ ]

4 l[ ]ttl[ ]

Practice More

A 우리말과 같도록 빈칸에 알맞은 단어를 보기 에서 찾아 쓰세요.

> 보기
> grandma big children grandpa
> little mother father twin

1 쌍둥이 아들들 → _____ sons

2 톰의 아버지 → Tom's _____

3 큰형 → a _____ brother

4 세 명의 아이들 → three _____

5 나의 어머니 → my _____

6 그의 할아버지 → his _____

7 너의 할머니 → your _____

8 어린 자매(여동생) → a _____ sister

B 우리말과 같도록 빈칸에 알맞은 단어를 골라 문장을 완성하세요.

1 My _____ sister is cute. 나의 어린 자매(여동생)는 귀엽다.
   (big / little)

2 Say hello to your _____. 너의 할머니께 안부 전해 줘.
   (grandma / mother)

3 His _____ brother is smart. 그의 큰형은 영리하다.
   (little / big)

4 They have _____ sons. 그들은 쌍둥이 아들들이 있다.
   (children / twin)

5 Mr. Baker is Tom's _____. 베이커 씨는 톰의 아버지다.
   (father / mother)

6 He likes his _____. 그는 그의 할아버지를 좋아한다.
   (grandpa / grandma)

7 He has three _____. 그는 아이들이 셋이다.
   (twin / children)

8 She is my _____. 그녀는 나의 어머니다.
   (mother / grandpa)

Unit 03 School 학교

1

school
[sku:l]
학교

a high school 고등학교

2

student
[stjúːdənt]
학생

a smart student 영리한 학생

3

teacher
[tíːtʃər]
선생님

a homeroom teacher 담임선생님

4

class
[klæs]
수업

be in class 수업 중이다

5

gate
[geit]
(정)문

a main gate 정문

6

chalk
[tʃɔːk]
분필

a red chalk 빨간색 분필

7

classroom
[klǽsrù(ː)m]
교실

in the classroom 교실에서

8

blackboard
[blǽkbɔ̀ːrd]
칠판

on the blackboard 칠판에

Let's Write

영어 단어를 큰 소리로 읽으면서 쓰세요.

school school

학교

student student

학생

teacher teacher

선생님

class class

수업

gate gate

(정)문

chalk chalk

분필

classroom classroom

교실

blackboard blackboard

칠판

Practice

A 단어에 알맞은 그림을 찾아 번호를 쓰세요.

chalk ◯ blackboard ◯ student ◯ teacher ◯

B 우리말 뜻에 맞는 단어를 찾아 동그라미 하세요.

1 수업
2 학교
3 (정)문
4 교실

1 bwtclassps
2 schoolbion
3 awcygatexl
4 qclassroom

C 단어의 알맞은 뜻을 선으로 연결한 후, 빈칸에 철자를 써서 단어를 완성하세요.

1 teacher • • 칠판 → ☐☐ackboard

2 chalk • • 분필 → ☐hal☐

3 student • • 학생 → st☐de☐t

4 blackboard • • 선생님 → te☐che☐

D 보기의 철자를 이용하여 번호 그림에 알맞은 단어를 완성하세요.

보기

a
c
e
h
r

1 g☐t☐

2 s☐☐ool

3 ☐l☐ss

4 ☐lass☐oom

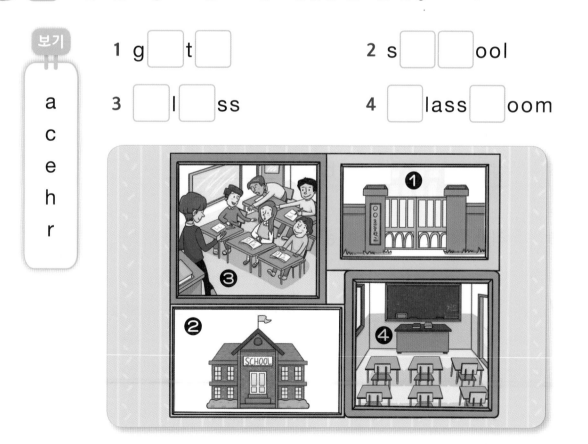

A 우리말과 같도록 빈칸에 알맞은 단어를 보기 에서 찾아 쓰세요.

보기
| chalk | student | teacher | gate |
| blackboard | classroom | class | school |

1 교실에서 → in the _____

2 칠판에 → on the _____

3 담임선생님 → a homeroom _____

4 고등학교 → a high _____

5 수업 중이다 → be in _____

6 영리한 학생 → a smart _____

7 정문 → a main _____

8 빨간색 분필 → a red _____

B 우리말과 같도록 빈칸에 알맞은 단어를 골라 문장을 완성하세요.

1 We are in the _____. 우리는 교실에 있다.
(classroom / school)

2 Where is the main _____? 정문이 어디예요?
(class / gate)

3 Bring me a red _____. 나한테 빨간색 분필을 가져다 줘.
(chalk / blackboard)

4 They go to the high _____. 그들은 그 고등학교에 다닌다.
(school / student)

5 They are in _____ now. 그들은 지금 수업 중이다.
(class / classroom)

6 He is my homeroom _____. 그는 내 담임선생님이다.
(student / teacher)

7 She writes on the _____. 그녀는 칠판에 글을 쓴다.
(blackboard / chalk)

8 Sam is a smart _____. 샘은 영리한 학생이다.
(student / gate)

1 bed

[bed]
침대

a single bed 1인용 침대

2 desk

[desk]
책상

a big desk 큰 책상

3 chair

[tʃɛər]
의자

under the chair 의자 아래에

4 lamp

[læmp]
램프, 등

turn on the lamp 등을 켜다

5 case

[keis]
통, 상자

a pencil case 필통

6 eraser

[iréisər]
지우개

need an eraser 지우개가 필요하다

7 backpack

[bǽkpæk]
배낭

an old backpack 오래된 배낭

8 notebook

[nóutbùk]
공책

a new notebook 새 공책

영어 단어를 큰 소리로 읽으면서 쓰세요.

bed bed

침대

desk desk

책상

chair chair

의자

lamp lamp

램프, 등

case case

통, 상자

eraser eraser

· 지우개

backpack backpack

배낭

notebook notebook

공책

Practice

A 단어에 알맞은 그림을 찾아 번호를 쓰세요.

bed ◯   lamp ◯   chair ◯   desk ◯

B 우리말 뜻에 맞는 단어를 찾아 동그라미 하세요.

1 배낭
2 공책
3 통, 상자
4 지우개

1 b a c k p a c k y
2 t n o t e b o o k
3 p t o c a s e c t
4 e r a s e r y t b i

C 단어의 알맞은 뜻을 선으로 연결한 후, 빈칸에 철자를 써서 단어를 완성하세요.

1 desk • • 램프, 등 → l ☐ m ☐

2 lamp • • 책상 → d ☐ s ☐

3 bed • • 의자 → ☐ h ☐ ir

4 chair • • 침대 → ☐ e ☐

D 보기의 철자를 이용하여 번호 그림에 알맞은 단어를 완성하세요.

보기

a
e
k
r

1 c ☐ s ☐

2 b ☐ ckpac ☐

3 not ☐ boo ☐

4 e ☐ ☐ ser

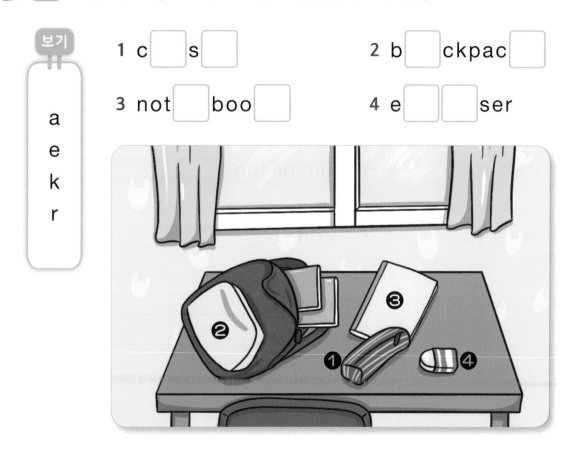

A 우리말과 같도록 빈칸에 알맞은 단어를 보기 에서 찾아 쓰세요.

보기	desk	case	eraser	backpack
	chair	bed	lamp	notebook

1 새 공책 → a new _____

2 오래된 배낭 → an old _____

3 지우개가 필요하다 → need an _____

4 의자 아래에 → under the _____

5 등을 켜다 → turn on the _____

6 1인용 침대 → a single _____

7 필통 → a pencil _____

8 큰 책상 → a big _____

B 우리말과 같도록 빈칸에 알맞은 단어를 골라 문장을 완성하세요.

1 What an old _____! 오래된 배낭이구나!
(backpack / case)

2 A cat is under the _____. 고양이가 의자 아래에 있다.
(desk / chair)

3 I have a big _____. 나는 큰 책상이 있다.
(notebook / desk)

4 Let's turn on the _____. 등을 켜자.
(lamp / eraser)

5 It is a single _____. 그것은 1인용 침대다.
(bed / backpack)

6 He needs a new _____. 그는 새 공책이 필요하다.
(notebook / chair)

7 I need an _____. 나는 지우개가 필요하다.
(eraser / lamp)

8 She wants a pencil _____. 그녀는 필통을 원한다.
(case / bed)

1

bath
[bæθ]
목욕

take a bath 목욕하다

2

mirror
[mírər]
거울

a round mirror 둥근 거울

3

wash
[waʃ]
씻다

wash my face 나의 얼굴을 씻다

4

toilet
[tɔ́ilit]
화장실

toilet paper (화장실) 휴지

5

towel
[táuəl]
수건

hang the towel 수건을 걸다

6

brush
[brʌʃ]
닦다, 솔질하다

brush my teeth 나의 이를 닦다

7

toothpaste
[túːθpèist]
치약

a tube of toothpaste 치약 한 개

8

shampoo
[ʃæmpúː]
샴푸

new shampoo 새 샴푸

Let's Write

영어 단어를 큰 소리로 읽으면서 쓰세요.

bath bath

목욕

mirror mirror

거울

wash wash

씻다

toilet toilet

화장실

towel towel

수건

brush brush

· 닦다, 솔질하다

toothpaste toothpaste

치약

shampoo shampoo

샴푸

Practice

A 단어에 알맞은 그림을 찾아 번호를 쓰세요.

toothpaste ◯ shampoo ◯ towel ◯ mirror ◯

B 우리말 뜻에 맞는 단어를 찾아 동그라미 하세요.

1 씻다
2 목욕
3 화장실
4 닦다, 솔질하다

1 k u w a s h y e
2 b a t h b u t y
3 t o i l e t b i r o
4 w b r u s h o t

C 단어의 알맞은 뜻을 선으로 연결한 후, 빈칸에 철자를 써서 단어를 완성하세요.

1　mirror　●　　●　치약　→ ☐ooth☐aste

2　towel　●　　●　수건　→ to☐e☐

3　toothpaste　●　　●　거울　→ ☐irro☐

4　shampoo　●　　●　샴푸　→ ☐ham☐oo

D 보기 의 철자를 이용하여 번호 그림에 알맞은 단어를 완성하세요.

보기

b
h
l
o
w

1　☐rus☐　　　2　☐at☐

3　☐as☐　　　4　t☐i☐et

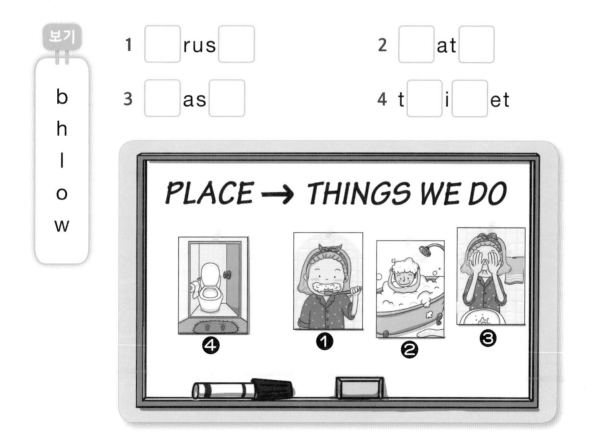

PLACE → THINGS WE DO

❹　❶　❷　❸

A 우리말과 같도록 빈칸에 알맞은 단어를 보기 에서 찾아 쓰세요.

보기	brush	toothpaste	towel	shampoo
	wash	bath	mirror	toilet

1 (화장실) 휴지 → _____ paper

2 둥근 거울 → a round _____

3 나의 이를 닦다 → _____ my teeth

4 치약 한 개 → a tube of _____

5 새 샴푸 → new _____

6 나의 얼굴을 씻다 → _____ my face

7 목욕하다 → take a _____

8 수건을 걸다 → hang the _____

B 우리말과 같도록 빈칸에 알맞은 단어를 골라 문장을 완성하세요.

1 Give me some _____ paper. 나에게 (화장실) 휴지를 좀 줘라.
(toilet / bath)

2 I buy a tube of _____. 나는 치약 한 개를 산다.
(shampoo / toothpaste)

3 Hang the _____, please. 수건을 걸어 주세요.
(wash / towel)

4 There is a round _____. 둥근 거울이 있다.
(mirror / brush)

5 The new _____ smells good. 그 새 샴푸는 냄새가 좋다.
(towel / shampoo)

6 I have to _____ my face. 나는 내 얼굴을 씻어야 한다.
(wash / brush)

7 We take a _____ every day. 우리는 매일 목욕한다.
(bath / toilet)

8 I _____ my teeth after meals. 나는 식사 후에 이를 닦는다.
(brush / mirror)

Review Unit 01-05

A 다음 영어 단어의 우리말 뜻을 쓰세요.

1 desk → [　　　]　　　2 father → [　　　]

3 school → [　　　]　　　4 chair → [　　　]

5 backpack → [　　　]　　6 student → [　　　]

7 mother → [　　　]　　　8 towel → [　　　]

9 nose → [　　　]　　　10 mirror → [　　　]

B 다음 우리말을 보고 영어표현을 완성하세요.

1 one [　]y[　]
→ 한쪽 눈

2 your m[　][　]th
→ 너의 입

3 a b[　]g brother
→ 큰형

4 in the class[　]oo[　]
→ 교실에서

5 a pencil [　]as[　]
→ 필통

6 a li[　]tl[　] sister
→ 어린 자매(여동생)

7 take a [　]a[　]h
→ 목욕하다

8 a single [　]e[　]
→ 1인용 침대

9 be in [　]la[　]s
→ 수업 중이다

10 [　]as[　] my face
→ 나의 얼굴을 씻다

C 우리말과 같도록 괄호 안에서 알맞은 단어에 동그라미 하세요.

1 엄마가 내 귀에 속삭인다. → Mom whispers in my (eye / ear).

2 정문이 어디예요? → Where is the main (school / gate)?

3 그는 그녀의 입술에 키스했다. → He kissed her on the (hips / lips).

4 나는 지우개가 필요하다. → I need an (eraser / case).

5 나에게 (화장실) 휴지를 좀 줘라. → Give me some (brush / toilet) paper.

6 둘리는 머리가 크다. → Dooly has a big (head / nose).

7 나는 치약 한 개를 산다. → I buy a tube of (bed / toothpaste).

D 다음 우리말을 보고 영어 문장을 완성하세요.

1 I ⬜⬜ush my teeth after meals. 나는 식사 후에 이를 닦는다.

2 He is my homeroom tea⬜⬜er. 그는 내 담임선생님이다.

3 He likes his grand⬜⬜. 그는 그의 할아버지를 좋아한다.

4 He has three chil⬜⬜en. 그는 아이들이 셋이다.

5 It has a human ⬜o⬜y. 그것은 인간의 몸을 하고 있다.

6 He needs a new note⬜⬜ok. 그는 새 공책이 필요하다.

7 She writes on the blackb⬜⬜rd. 그녀는 칠판에 글을 쓴다.

1
room

[ru(:)m]

방

a living room 거실(방)

2

sofa

[sóufə]

소파

move the sofa 소파를 옮기다

3
table

[téibl]

탁자

a tea table 차 (놓는) 탁자

4
rug

[rʌg]

양탄자

buy a rug 양탄자를 사다

5
window

[wíndou]

창문

open the window 창문을 열다

6
door

[dɔːr]

문

close the door 문을 닫다

7
wall

[wɔːl]

벽

paint the wall 벽을 칠하다

8

watch

[wɑtʃ]

보다

watch TV TV를 보다

영어 단어를 큰 소리로 읽으면서 쓰세요.

room room

방

sofa sofa

소파

table table

탁자

rug rug

양탄자

window window

창문

door door

문

wall wall

벽

watch watch

보다

Practice

A 단어에 알맞은 그림을 찾아 번호를 쓰세요.

table ◯　　　window ◯　　　rug ◯　　　sofa ◯

B 우리말 뜻에 맞는 단어를 찾아 동그라미 하세요.

1 벽
2 방
3 보다
4 문

1 nbwallyc
2 roomwip
3 fwatchyc
4 undoorio

C 단어의 알맞은 뜻을 선으로 연결한 후, 빈칸에 철자를 써서 단어를 완성하세요.

1 rug • • 창문 → ☐ in ☐ ow

2 sofa • • 소파 → s ☐ f ☐

3 table • • 탁자 → ☐ a ☐ le

4 window • • 양탄자 → ☐ u ☐

D 보기의 철자를 이용하여 번호 그림에 알맞은 단어를 완성하세요.

보기

a
o
r
w

1 d ☐ ☐ r

2 ☐ ☐ tch

3 ☐ ☐ om

4 ☐ ☐ ll

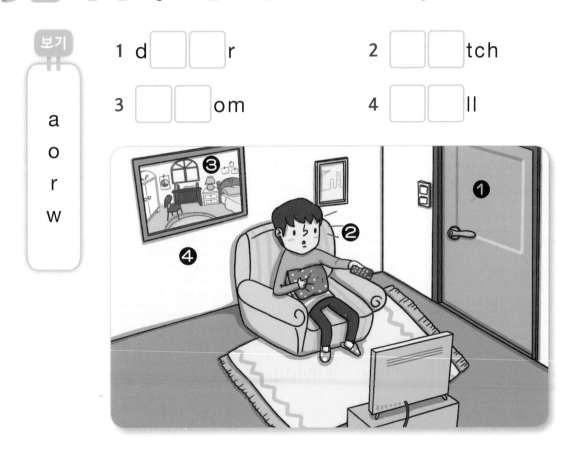

 Practice More

A 우리말과 같도록 빈칸에 알맞은 단어를 보기 에서 찾아 쓰세요.

보기

room	watch	sofa	rug
wall	window	door	table

1 TV를 보다 → _____ TV

2 소파를 옮기다 → move the _____

3 양탄자를 사다 → buy a _____

4 벽을 칠하다 → paint the _____

5 창문을 열다 → open the _____

6 문을 닫다 → close the _____

7 차 (놓는) 탁자 → a tea _____

8 거실(방) → a living _____

B 우리말과 같도록 빈칸에 알맞은 단어를 골라 문장을 완성하세요.

1 Put it on the tea _____. 그것을 차 탁자 위에 놓아라.
   (table / rug)

2 I will move the _____. 나는 소파를 옮길 것이다.
   (rug / sofa)

3 He is painting the _____. 그는 벽을 칠하고 있다.
   (wall / room)

4 We have to buy a _____. 우리는 양탄자를 사야 한다.
   (rug / sofa)

5 Tom is in the living _____. 톰은 거실(방)에 있다.
   (room / window)

6 Come and _____ TV. 와서 TV를 봐라.
   (watch / door)

7 Don't close the _____. 문을 닫지 마라.
   (door / wall)

8 Open the _____, please. 창문을 열어 주세요.
   (window / watch)

1

toy

[tɔi]

장난감

a toy box 장난감 상자

2

train

[trein]

기차

a toy train 장난감 기차

3

puzzle

[pʌ́zl]

퍼즐

a puzzle game 퍼즐 게임

4

blocks

[blɑks]

블록

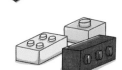

build blocks 블록을 쌓다

5

top

[tɑp]

팽이

spin a top 팽이를 돌리다

6

robot

[róubət]

로봇

my first robot 나의 첫 번째 로봇

7

doll

[dɑl]

인형

a Barbie doll 바비 인형

8

board

[bɔːrd]

보드, 판자

a board game 보드 게임

영어 단어를 큰 소리로 읽으면서 쓰세요.

toy toy

장난감

train train

기차

puzzle puzzle

퍼즐

blocks blocks

블록

top top

팽이

robot robot

· 로봇

doll doll

인형

board board

보드, 판자

Practice

A 단어에 알맞은 그림을 찾아 번호를 쓰세요.

top ◯　　blocks ◯　　robot ◯　　train ◯

B 우리말 뜻에 맞는 단어를 찾아 동그라미 하세요.

1 퍼즐
2 인형
3 장난감
4 보드, 판자

1 a p u z z l e r i
2 y n d o l l c l a
3 p o t o y u a e
4 b o a r d n e p

C 단어의 알맞은 뜻을 선으로 연결한 후, 빈칸에 철자를 써서 단어를 완성하세요.

1 top ● ● 기차 → ☐ rai ☐

2 train ● ● 팽이 → ☐ o ☐

3 blocks ● ● 블록 → ☐ loc ☐ s

4 robot ● ● 로봇 → r ☐ bo ☐

D 보기 의 철자를 이용하여 번호 그림에 알맞은 단어를 완성하세요.

보기
d
e
o
p

1 ☐ ☐ ll   2 b ☐ ar ☐

3 t ☐ y   4 ☐ uzzl ☐

A 우리말과 같도록 빈칸에 알맞은 단어를 보기 에서 찾아 쓰세요.

보기

toy	train	board	doll
puzzle	robot	top	blocks

1 팽이를 돌리다 → spin a _____

2 퍼즐 게임 → a _____ game

3 나의 첫 번째 로봇 → my first _____

4 바비 인형 → a Barbie _____

5 장난감 기차 → a toy _____

6 장난감 상자 → a _____ box

7 블록을 쌓다 → build _____

8 보드 게임 → a _____ game

B 우리말과 같도록 빈칸에 알맞은 단어를 골라 문장을 완성하세요.

1 Let's play a _____ game. 퍼즐 게임을 하자.
   (doll / puzzle)

2 It is a toy _____. 이것은 장난감 기차다.
   (train / top)

3 This is my first _____. 이것은 나의 첫 번째 로봇이다.
   (robot / train)

4 They play a _____ game. 그들은 보드 게임을 한다.
   (board / train)

5 I love the Barbie _____. 나는 그 바비 인형을 아주 좋아한다.
   (doll / box)

6 The children are building _____. 아이들이 블록을 쌓고 있다.
   (board / blocks)

7 Put them in the _____ box. 그것들을 장난감 상자에 넣어라.
   (toy / blocks)

8 The kid is spinning a _____. 이이가 팽이를 돌리고 있다
   (top / robot)

1 book

book

[buk]

책

a story book 이야기책

2 comic

comic

[kámik]

만화(의)

comic books 만화책

3 card

card

[kɑːrd]

카드

a flash card 플래시 카드

4 quiet

quiet

[kwáiət]

조용한

a quiet voice 조용한 목소리

5 tale

tale

[teil]

이야기

a fairy tale 요정 이야기(동화)

6 writer

writer

[ráitər]

작가

be a writer 작가가 되다

7 reader

reader

[ríːdər]

독자

a good reader 훌륭한 독자

8 bestseller

bestseller

[bestselə(r)]

베스트셀러

the bestseller list 베스트셀러 목록

Let's Write

영어 단어를 큰 소리로 읽으면서 쓰세요.

book book

책

comic comic

만화(의)

card card

카드

quiet quiet

조용한

tale tale

이야기

writer writer

· 작가

reader reader

독자

bestseller bestseller

베스트셀러

Practice

A 단어에 알맞은 그림을 찾아 번호를 쓰세요.

book ◯   comic ◯   bestseller ◯   card ◯

B 우리말 뜻에 맞는 단어를 찾아 동그라미 하세요.

1 독자
2 작가
3 조용한
4 이야기

1 creaderti
2 ewriterbs
3 quietayei
4 fastalegx

C 단어의 알맞은 뜻을 선으로 연결한 후, 빈칸에 철자를 써서 단어를 완성하세요.

1 card • • 만화(의) → c ☐ m ☐ c

2 book • • 책 → ☐ o o ☐

3 comic • • 베스트셀러 → ☐ e s t ☐ e l l e r

4 bestseller • • 카드 → c ☐ r ☐

D 보기의 철자를 이용하여 번호 그림에 알맞은 단어를 완성하세요.

보기

e
r
t
u

1 ☐ a l ☐

2 ☐ e a d ☐ r

3 q ☐ i ☐ t

4 w ☐ i t ☐ r

A 우리말과 같도록 빈칸에 알맞은 단어를 보기 에서 찾아 쓰세요.

보기

quiet	writer	reader	tale
bestseller	comic	card	book

1 조용한 목소리 → a _____ voice

2 이야기책 → a story _____

3 베스트셀러 목록 → the _____ list

4 요정 이야기(동화) → a fairy _____

5 작가가 되다 → be a _____

6 훌륭한 독자 → a good _____

7 플래시 카드 → a flash _____

8 만화책 → _____ books

B 우리말과 같도록 빈칸에 알맞은 단어를 골라 문장을 완성하세요.

1 We use a flash _____. 우리는 플래시 카드를 사용한다.
   (card / book)

2 I read a fairy _____. 나는 요정 이야기(동화)를 읽는다.
   (comic / tale)

3 He is a good _____. 그는 훌륭한 독자다.
   (reader / writer)

4 Here is the _____ list. 여기 베스트셀러 목록이 있다.
   (quiet / bestseller)

5 She is reading a story _____. 그녀는 이야기책을 읽고 있다.
   (book / tale)

6 They love _____ books. 그들은 만화책을 아주 좋아한다.
   (card / comic)

7 She speaks in a _____ voice. 그녀는 조용한 목소리로 말한다.
   (tale / quiet)

8 I want to be a _____. 나는 작가가 되고 싶다.
   (writer / reader)

1

study
[stʌ́di]
공부(하다)

study **hard** 열심히 공부하다

2

math
[mæθ]
수학

a math **problem** 수학 문제

3

English
[íŋgliʃ]
영어

in English 영어로

4

science
[sáiəns]
과학

a science **teacher** 과학 선생님

5

note
[nout]
메모

make a note 메모하다

6

quiz
[kwiz]
퀴즈

a **pop** quiz 깜짝 퀴즈

7

check
[tʃek]
확인하다

check **homework** 숙제를 확인하다

8

give
[giv]
주다

give **a hint** 힌트를 주다

영어 단어를 큰 소리로 읽으면서 쓰세요.

study study

공부(하다)

math math

수학

English English

영어

science science

과학

note note

메모

quiz quiz

·퀴즈

check check

확인하다

give give

주다

Practice

A 단어에 알맞은 그림을 찾아 번호를 쓰세요.

math ◯　　science ◯　　English ◯　　quiz ◯

B 우리말 뜻에 맞는 단어를 찾아 동그라미 하세요.

1 공부(하다)	**1** g s t u d y h r o
2 확인하다	**2** c h e c k g a k i
3 메모	**3** u n u n o t e b y
4 주다	**4** f c y g i v e a w

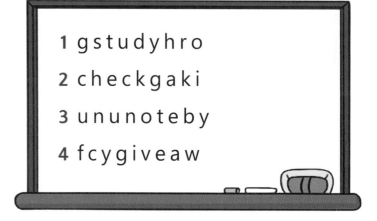

C 단어의 알맞은 뜻을 선으로 연결한 후, 빈칸에 철자를 써서 단어를 완성하세요.

1 math • • 수학 → ☐ a ☐ h

2 quiz • • 과학 → sci ☐ ☐ ce

3 science • • 영어 → En ☐ lis ☐

4 English • • 퀴즈 → ☐ ui ☐

D 보기 의 철자를 이용하여 번호 그림에 알맞은 단어를 완성하세요.

보기

e
g
h
t
y

1 s ☐ ud ☐

2 no ☐ ☐

3 c ☐ ☐ ck

4 ☐ iv ☐

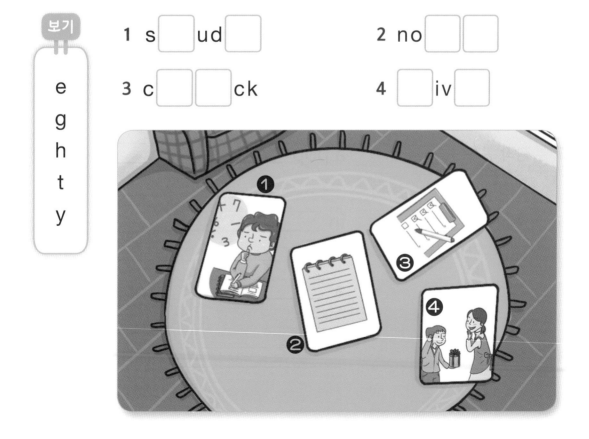

A 우리말과 같도록 빈칸에 알맞은 단어를 보기 에서 찾아 쓰세요.

보기 =
study	quiz	science	check
give	English	math	note

1 힌트를 주다 → _____ a hint

2 과학 선생님 → a _____ teacher

3 메모하다 → make a _____

4 열심히 공부하다 → _____ hard

5 깜짝 퀴즈 → a pop _____

6 영어로 → in _____

7 수학 문제 → a _____ problem

8 숙제를 확인하다 → _____ homework

B 우리말과 같도록 빈칸에 알맞은 단어를 골라 문장을 완성하세요.

1 I can write it in _____. 나는 그것을 영어로 쓸 수 있다.
   (English / math)

2 The _____ problem is difficult. 그 수학 문제는 어렵다.
   (do / math)

3 They have to _____ hard. 그들은 열심히 공부해야 한다.
   (check / study)

4 I hate the pop _____. 나는 깜짝 퀴즈가 싫다.
   (note / quiz)

5 Please _____ me a hint. 힌트 좀 주세요.
   (give / English)

6 We make a _____ in class. 우리는 수업 중에 메모한다.
   (note / study)

7 I will _____ your homework. 나는 너의 숙제를 확인할 것이다.
   (check / pop)

8 Mr. Brown is a _____ teacher. 브라운 씨는 과학 선생님이다.
   (science / hint)

1

walk

[wɔːk]

걷기, 걷다

take a walk 산책(걷기)하다

2

run

[rʌn]

달리다

run fast 빨리 달리다

3

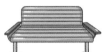

bench

[bentʃ]

벤치

on the bench 벤치에서

4

flower

[fláuər]

꽃

a flower pot 꽃단지(화분)

5

tree

[triː]

나무

a pine tree 소나무

6

jog

[dʒɑg]

조깅하다

jog every day 매일 조깅하다

7

path

[pæθ]

길

along the path 길을 따라서

8

park

[pɑːrk]

공원

in the park 공원에서

Let's Write

영어 단어를 큰 소리로 읽으면서 쓰세요.

walk walk

걷기, 걷다

run run

달리다

bench bench

벤치

flower flower

꽃

tree tree

나무

jog jog

· 조깅하다

path path

길

park park

공원

Practice

A 단어에 알맞은 그림을 찾아 번호를 쓰세요.

tree ◯   path ◯   flower ◯   bench ◯

B 우리말 뜻에 맞는 단어를 찾아 동그라미 하세요.

1 공원
2 달리다
3 조깅하다
4 걷기, 걷다

1 irparkvt
2 fhrundox
3 rinjogrp
4 cwalknc

C 단어의 알맞은 뜻을 선으로 연결한 후, 빈칸에 철자를 써서 단어를 완성하세요.

1 tree • • 꽃 → fl [ ] w [ ] r

2 path • • 나무 → t [ ] e [ ]

3 flower • • 길 → pa [ ] [ ]

4 bench • • 벤치 → b [ ] nc [ ]

D 보기 의 철자를 이용하여 번호 그림에 알맞은 단어를 완성하세요.

보기

a
g
j
k
n
r

1 w [ ] l [ ]　　　　2 p [ ] r [ ]

3 [ ] u [ ]　　　　4 [ ] o [ ]

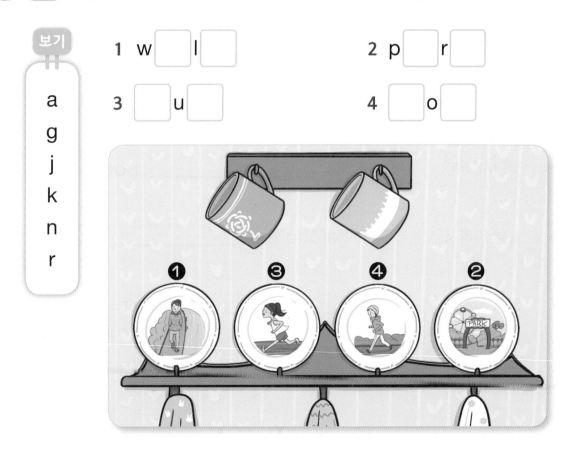

A 우리말과 같도록 빈칸에 알맞은 단어를 보기 에서 찾아 쓰세요.

보기

park	tree	walk	jog
bench	flower	path	run

1 소나무   →   a pine _____

2 공원에서   →   in the _____

3 매일 조깅하다   →   _____ every day

4 산책(걷기)하다   →   take a _____

5 꽃단지(화분)   →   a _____ pot

6 길을 따라서   →   along the _____

7 빨리 달리다   →   _____ fast

8 벤치에서   →   on the _____

B 우리말과 같도록 빈칸에 알맞은 단어를 골라 문장을 완성하세요.

1 Look at the pine _____. 소나무를 봐라.
   (tree / flower)

2 I am walking in the _____. 나는 공원에서 걷고 있다.
   (walk / park)

3 We are sitting on the _____. 우리는 벤치에 앉아 있다.
   (bench / tree)

4 The students _____ every day. 그 학생들은 매일 조깅한다.
   (jog / path)

5 My dog can _____ fast. 나의 개는 빨리 달릴 수 있다.
   (run / park)

6 Let's take a _____. 산책(걷기)하자.
   (jog / walk)

7 I want to have a _____ pot. 나는 꽃단지(화분)를 갖고 싶다.
   (flower / bench)

8 We walk along the _____. 우리는 길을 따라 걷는다.
   (path / run)

A 다음 영어 단어의 우리말 뜻을 쓰세요.

1 puzzle → ___
2 study → ___
3 sofa → ___
4 run → ___
5 tree → ___
6 door → ___
7 book → ___
8 train → ___
9 math → ___
10 tale → ___

B 다음 우리말을 보고 영어표현을 완성하세요.

1 a ☐o☐ box
→ 징난감 상자

2 ☐o☐ic books
→ 만화책

3 spin a ☐o☐
→ 팽이를 돌리다

4 in En☐lis☐
→ 영어로

5 ☐a.ch TV
→ TV를 보다

6 a flash ☐a☐d
→ 플래시 카드

7 a living r☐☐m
→ 거실(방)

8 take a ☐al☐
→ 산책(걷기)하다

9 ☐o☐ every day
→ 매일 조깅하다

10 make a ☐ot☐
→ 메모하다

C 우리말과 같도록 괄호 안에서 알맞은 단어에 동그라미 하세요.

1 창문을 열어 주세요. → Open the (window / door), please.

2 우리는 길을 따라 걷는다. → We walk along the (path / walk).

3 그녀는 조용한 목소리로 말한다. → She speaks in a (check / quiet) voice.

4 우리는 양탄자를 사야 한다. → We have to buy a (toy / rug).

5 나는 작가가 되고 싶다. → I want to be a (writer / tale).

6 그는 훌륭한 독자다. → He is a good (reader / book).

7 그들은 보드 게임을 한다. → They play a (puzzle / board) game.

D 다음 우리말을 보고 영어 문장을 완성하세요.

1 Here is the b☐stselle☐ list. 여기 베스트셀러 목록이 있다.

2 I love the Barbie ☐o☐l. 나는 그 바비 인형을 아주 좋아한다.

3 Mr. Brown is a ☐ci☐nce teacher. 브라운 씨는 과학 선생님이다.

4 He is painting the ☐a☐l. 그는 벽을 칠하고 있다.

5 We are sitting on the b☐n☐h. 우리는 벤치에 앉아 있다.

6 I will ch☐c☐ your homework. 나는 너의 숙제를 확인할 것이다.

7 Please ☐i☐e me a hint. 힌트 좀 주세요.

1

driver
[dráivər]
운전자

a bus driver 버스 운전자

2

farmer
[fá:rmər]
농부

a rich farmer 부유한 농부

3

cook
[kuk]
요리사

a good cook 훌륭한 요리사

4

reporter
[ripɔ́:rtər]
기자

a news reporter 신문 기자

5

singer
[síŋər]
가수

a K-pop singer 케이팝 가수

6

dancer
[dǽnsər]
댄서, 무용수

a famous dancer 유명한 댄서

7

painter
[péintər]
화가

a great painter 위대한 화가

8

comedian
[kəmí:diən]
코미디언

a popular comedian 인기 있는 코미디언

Let's Write

영어 단어를 큰 소리로 읽으면서 쓰세요.

driver   driver

운전자

farmer   farmer

농부

cook   cook

요리사

reporter   reporter

기자

singer   singer

가수

dancer   dancer

· 댄서, 무용수

painter   painter

화가

comedian   comedian

코미디언

Practice

A 단어에 알맞은 그림을 찾아 번호를 쓰세요.

cook ◯   reporter ◯   farmer ◯   driver ◯

B 우리말 뜻에 맞는 단어를 찾아 동그라미 하세요.

1 화가
2 가수
3 코미디언
4 댄서, 무용수

1 painterhtoi
2 iasingergsb
3 comedianai
4 cgudancerb

C 단어의 알맞은 뜻을 선으로 연결한 후, 빈칸에 철자를 써서 단어를 완성하세요.

1 cook •   • 요리사 → ☐ oo ☐

2 driver •   • 기자 → re ☐ or ☐ er

3 farmer •   • 운전자 → ☐ ri ☐ er

4 reporter •   • 농부 → far ☐ e ☐

D 보기의 철자를 이용하여 번호 그림에 알맞은 단어를 완성하세요.

보기

e
i
m
n

1 pa ☐ nt ☐ r   2 co ☐ ☐ dian

3 s ☐ ng ☐ r   4 da ☐ c ☐ r

Practice More

A 우리말과 같도록 빈칸에 알맞은 단어를 보기 에서 찾아 쓰세요.

보기

reporter	cook	singer	painter
farmer	comedian	driver	dancer

1   케이팝 가수   →   a K-pop _____

2   신문 기자   →   a news _____

3   부유한 농부   →   a rich _____

4   버스 운전자   →   a bus _____

5   훌륭한 요리사   →   a good _____

6   인기 있는 코미디언   →   a popular _____

7   위대한 화가   →   a great _____

8   유명한 댄서   →   a famous _____

B 우리말과 같도록 빈칸에 알맞은 단어를 골라 문장을 완성하세요.

1 The K-pop _____ is over there. 그 케이팝 가수는 저기에 있다.
(singer / driver)

2 His uncle is a rich _____. 그의 삼촌은 부유한 농부다.
(reporter / farmer)

3 He is a popular _____. 그는 인기 있는 코미디언이다.
(comedian / painter)

4 Joanne is a famous _____. 조앤은 유명한 댄서다.
(dancer / singer)

5 I want to be a news _____. 나는 신문 기자가 되기를 원한다.
(reporter / cook)

6 Gogh is a great _____. 고흐는 위대한 화가다.
(painter / dancer)

7 My dad is a bus _____. 나의 아빠는 버스 운전자다.
(farmer / driver)

8 She is a good _____. 그녀는 훌륭한 요리사다.
(cook / comedian)

1

wake
[weik]

깨(우)다

wake **me up** 나를 깨우다

2

sleep
[sli:p]

자다

sleep **in** 늦잠 자다

3

drink
[driŋk]

마시다

drink **juice** 주스를 마시다

4

nap
[næp]

낮잠

take **a** nap 낮잠 자다

5

wear
[wɛər]

입다

wear **a uniform** 유니폼을 입다

6

bus
[bʌs]

버스

take **a** bus 버스를 타다

7

car
[kɑ:r]

자동차

get **in the** car 자동차를 타다

8

time
[taim]

시간

time **to sleep** 잘 시간

영어 단어를 큰 소리로 읽으면서 쓰세요.

wake wake

깨(우)다

sleep sleep

자다

drink drink

마시다

nap nap

낮잠

wear wear

입다

bus bus

· 버스

car car

자동차

time time

시간

Practice

A 단어에 알맞은 그림을 찾아 번호를 쓰세요.

drink ◯   wake ◯   sleep ◯   wear ◯

B 우리말 뜻에 맞는 단어를 찾아 동그라미 하세요.

1 버스
2 자동차
3 낮잠
4 시간

1 vdubus
2 rocarw
3 napcys
4 bxtime

C 단어의 알맞은 뜻을 선으로 연결한 후, 빈칸에 철자를 써서 단어를 완성하세요.

1 sleep •   • 입다 → ☐ ea ☐

2 wake •   • 깨(우)다 → w ☐ k ☐

3 wear •   • 자다 → s ☐ ee ☐

4 drink •   • 마시다 → ☐ ri ☐ k

D 보기의 철자를 이용하여 번호 그림에 알맞은 단어를 완성하세요.

보기

a
b
e
p
t

1 c ☐ r   2 ☐ im ☐

3 n ☐ ☐   4 ☐ us

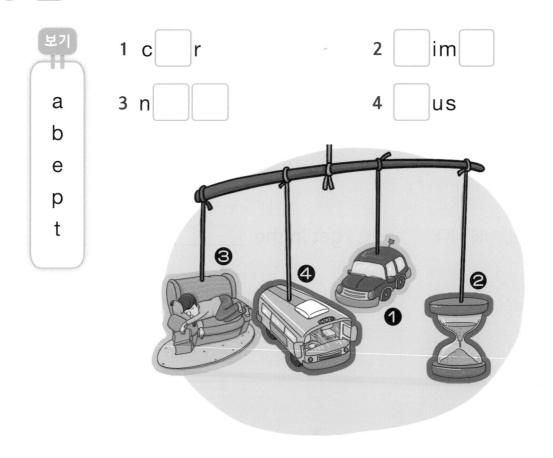

A 우리말과 같도록 빈칸에 알맞은 단어를 보기 에서 찾아 쓰세요.

보기

nap	time	sleep	drink
bus	wear	car	wake

1 버스를 타다 → take a _____

2 늦잠 자다 → _____ in

3 유니폼을 입다 → _____ a uniform

4 잘 시간 → _____ to sleep

5 나를 깨우다 → _____ me up

6 자동차를 타다 → get in the _____

7 낮잠 자다 → take a _____

8 주스를 마시다 → _____ juice

B 우리말과 같도록 빈칸에 알맞은 단어를 골라 문장을 완성하세요.

1 They always _____ uniforms. 그들은 항상 유니폼을 입는다.
(wake / wear)

2 I _____ in on the weekend. 나는 주말에 늦잠 잔다.
(sleep / drink)

3 It is _____ to sleep. 잘 시간이다.
(car / time)

4 _____ juice slowly. 주스를 천천히 마셔라.
(Nap / Drink)

5 They are getting in the _____. 그들은 자동차에 타고 있다.
(car / bus)

6 _____ me up at 7, please. 7시에 나를 깨워 주세요.
(Time / Wake)

7 I sometimes take a _____. 나는 때때로 낮잠을 잔다.
(sleep / nap)

8 Jina will take a _____. 지니는 버스를 탈 것이다.
(wear / bus)

1

heart
[hɑːrt]
하트

a big heart 큰 하트

2

circle
[sə́ːrkl]
원

a red circle 빨간 원

3

clover
[klóuvər]
클로버

a four-leaf clover 네 잎 클로버

4

cube
[kjuːb]
정육면체

make a cube 정육면체를 만들다

5

stripes
[straips]
줄무늬

large stripes 커다란 줄무늬

6

shape
[ʃeip]
모양

the same shape 같은 모양

7

pyramid
[pírəmid]
피라미드

draw a pyramid 피라미드를 그리다

8

diamond
[dáiəmənd]
마름모

paint a diamond 마름모를 색칠하다

영어 단어를 큰 소리로 읽으면서 쓰세요.

heart   heart

하트

circle   circle

원

clover   clover

클로버

cube   cube

정육면체

stripes   stripes

줄무늬

shape   shape

모양

pyramid   pyramid

피라미드

diamond   diamond

마름모

Practice

A 단어에 알맞은 그림을 찾아 번호를 쓰세요.

stripes ◯   clover ◯   circle ◯   shape ◯

B 우리말 뜻에 맞는 단어를 찾아 동그라미 하세요.

1 하트
2 마름모
3 정육면체
4 피라미드

1 c v h e a r t u e n
2 d i a m o n d c o
3 u v c u b e o x e
4 e y p y r a m i d

C 단어의 알맞은 뜻을 선으로 연결한 후, 빈칸에 철자를 써서 단어를 완성하세요.

1 circle • • 모양 → s ☐ a ☐ e

2 clover • • 원 → c ☐ rc ☐ e

3 stripes • • 줄무늬 → s ☐ ri ☐ es

4 shape • • 클로버 → ☐ lo ☐ er

D 보기의 철자를 이용하여 번호 그림에 알맞은 단어를 완성하세요.

보기

c
d
e
m
r

1 ☐ ia ☐ ond

2 ☐ ub ☐

3 py ☐ a ☐ id

4 h ☐ a ☐ t

Practice More

A 우리말과 같도록 빈칸에 알맞은 단어를 보기 에서 찾아 쓰세요.

보기

diamond	heart	cube	shape
circle	stripes	pyramid	clover

1 커다란 줄무늬 → large _____

2 같은 모양 → the same _____

3 큰 하트 → a big _____

4 네 잎 클로버 → a four-leaf _____

5 마름모를 색칠하다 → paint a _____

6 피라미드를 그리다 → draw a _____

7 정육면체를 만들다 → make a _____

8 빨간 원 → a red _____

B 우리말과 같도록 빈칸에 알맞은 단어를 골라 문장을 완성하세요.

1   He likes to draw a _____. 그는 피라미드 그리기를 좋아한다.
(pyramid / diamond)

2   The sun looks like a red _____. 태양은 빨간 원처럼 보인다.
(clover / circle)

3   These hats are the same _____. 이 모자들은 같은 모양이다
(stripes / shape)

4   Draw a big _____, please. 큰 하트를 그려 주세요.
(heart / pyramid)

5   Look at the four-leaf _____. 네 잎 클로버를 봐라.
(check / clover)

6   This shirt has large _____. 이 셔츠는 커다란 줄무늬가 있다.
(stripes / circle)

7   Paint the _____ in pink. 그 마름모를 핑크색으로 칠해라.
(heart / diamond)

8   Make a yellow _____. 노란 정육면체를 만들어라.
(shape / cube)

1 ready

ready

[rédi]

준비가 된

---

be ready 준비가 되다

2 win

win

[win]

이기다

---

win the game 경기를 이기다

3 lose

lose

[luːz]

지다

---

lose the race 경주를 지다

4 dive

dive

[daiv]

뛰어들다

---

dive into a river 강 속으로 뛰어들다

5 pool

pool

[puːl]

수영장

---

a swimming pool 수영장

6 pass

pass

[pæs]

패스하다

---

pass the ball 공을 패스하다

7 game

game

[geim]

경기

---

a basketball game 농구 경기

8 gym

gym

[dʒim]

체육관

---

at the gym 체육관에서

영어 단어를 큰 소리로 읽으면서 쓰세요.

ready ready

준비가 된

win win

이기다

lose lose

지다

dive dive

뛰어들다

pool pool

수영장

pass pass

· 패스하다

game game

경기

gym gym

체육관

Practice

A 단어에 알맞은 그림을 찾아 번호를 쓰세요.

ready ◯　　lose ◯　　dive ◯　　pass ◯

B 우리말 뜻에 맞는 단어를 찾아 동그라미 하세요.

1 체육관
2 이기다
3 수영장
4 경기

1 g y m q i u e
2 i k w i n q l o
3 e p o o l o e i
4 r g a m e u v

C 단어의 알맞은 뜻을 선으로 연결한 후, 빈칸에 철자를 써서 단어를 완성하세요.

1 lose ● ● 지다 → l ☐ s ☐

2 pass ● ● 패스하다 → ☐ as ☐

3 dive ● ● 준비가 된 → ☐ ea ☐ y

4 ready ● ● 뛰어들다 → d ☐ v ☐

D 보기 의 철자를 이용하여 번호 그림에 알맞은 단어를 완성하세요.

보기
g
l
m
n
p
w

1 ☐ a ☐ e

2 ☐ i ☐

3 ☐ oo ☐

4 ☐ y ☐

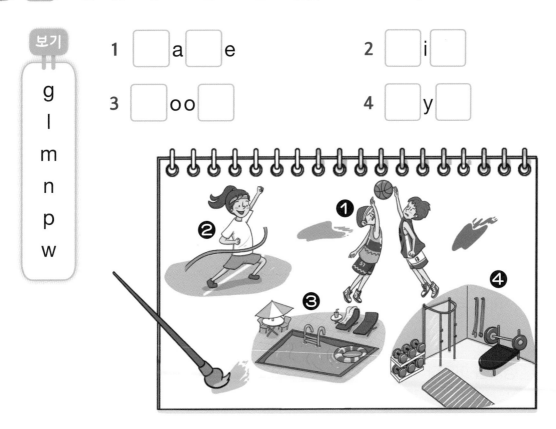

A 우리말과 같도록 빈칸에 알맞은 단어를 보기 에서 찾아 쓰세요.

보기

gym	dive	win	game
ready	pass	pool	lose

1 공을 패스하다 → _____ the ball

2 체육관에서 → at the _____

3 강 속으로 뛰어들다 → _____ into a river

4 수영장 → a swimming _____

5 농구 경기 → a basketball _____

6 경주를 지다 → _____ the race

7 준비가 되다 → be _____

8 경기를 이기다 → _____ the game

B 우리말과 같도록 빈칸에 알맞은 단어를 골라 문장을 완성하세요.

1 I watch a basketball _____. 나는 농구 경기를 본다.
(game / pool)

2 Our teams _____ the game. 우리 팀들이 경기를 이긴다.
(lose / win)

3 I hate to _____ the race. 나는 경주를 지는 것을 싫어한다.
(lose / dive)

4 I play volleyball at the _____. 나는 체육관에서 배구를 한다.
(gym / ready)

5 _____ me the ball. 나에게 공을 패스해라.
(Pass / Win)

6 Don't _____ into a river. 강 속으로 뛰어들지 마라.
(dive / game)

7 Are you _____? 너는 준비가 됐니?
(ready / pass)

8 There is a swimming _____. 수영장이 있다
(gym / pool)

15 Sport 스포츠

1 ski

[ski:]

스키

a ski trip 스키 여행

2 skating

[skéitiŋ]

스케이트 타기

go skating 스케이트 타러 가다

3 soccer

[sákər]

축구

a soccer game 축구 경기

4 baseball

[béisbɔ̀:l]

야구

play baseball 야구를 하다

5 basketball

[bǽskitbɔ̀:l]

농구

a basketball player 농구 선수

6 volleyball

[válibɔ̀:l]

배구

a volleyball coach 배구 코치

7 hockey

[háki]

하키

a hockey stick 하키 스틱

8 badminton

[bǽdmintən]

배드민턴

a badminton racket 배드민턴 라켓

영어 단어를 큰 소리로 읽으면서 쓰세요.

ski   ski
스키

skating   skating
스케이트 타기

soccer   soccer
축구

baseball   baseball
야구

basketball   basketball
농구

volleyball   volleyball
· 배구

hockey   hockey
하키

badminton   badminton
배드민턴

Practice

A 단어에 알맞은 그림을 찾아 번호를 쓰세요.

soccer ◯　ski ◯　baseball ◯　badminton ◯

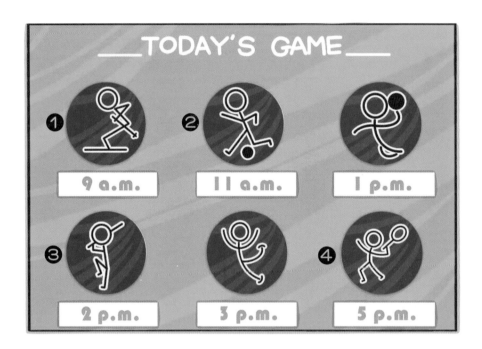

B 우리말 뜻에 맞는 단어를 찾아 동그라미 하세요.

1 스케이트 타기
2 농구
3 하키
4 배구

1 a s k a t i n g j h w
2 i r b a s k e t b a l l
3 o h o c k e y n e y i
4 c u v o l l e y b a l l

C 단어의 알맞은 뜻을 선으로 연결한 후, 빈칸에 철자를 써서 단어를 완성하세요.

1 ski • • 스키 → ☐ k ☐

2 soccer • • 야구 → b ☐ se ☐ all

3 baseball • • 배드민턴 → ☐ ad ☐ inton

4 badminton • • 축구 → ☐ o ☐ cer

D 보기 의 철자를 이용하여 번호 그림에 알맞은 단어를 완성하세요.

보기

b
e
k
t

1 s ☐ a ☐ ing 2 bas ☐ et ☐ all

3 hoc ☐ ☐ y 4 voll ☐ y ☐ all

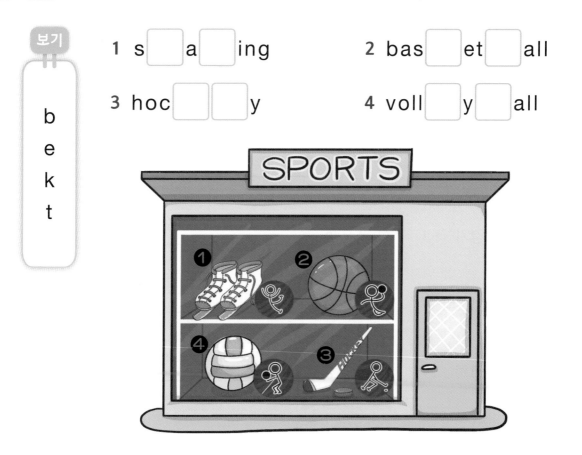

Practice More

A 우리말과 같도록 빈칸에 알맞은 단어를 보기 에서 찾아 쓰세요.

보기

baseball	hockey	soccer	ski
badminton	basketball	volleyball	skating

1 야구를 하다 → play _____

2 하키 스틱 → a _____ stick

3 스케이트 타러 가다 → go _____

4 스키 여행 → a _____ trip

5 농구 선수 → a _____ player

6 축구 경기 → a _____ game

7 배드민턴 라켓 → a _____ racket

8 배구 코치 → a _____ coach

B 우리말과 같도록 빈칸에 알맞은 단어를 골라 문장을 완성하세요.

1 It is a _____ racket. 그것은 배드민턴 라켓이다.
(badminton / baseball)

2 I often watch a _____ game. 나는 자주 축구 경기를 본다.
(hockey / soccer)

3 They play _____ after school. 그들은 방과 후에 야구를 한다.
(baseball / basketball)

4 This _____ stick is expensive. 이 하키 스틱은 비싸다.
(ski / hockey)

5 I go on a _____ trip. 나는 스키 여행을 간다.
(ski / skating)

6 Ms. Smith is a _____ coach. 스미스 부인은 배구 코치다.
(badminton / volleyball)

7 We go _____ in winter. 우리는 겨울에 스케이트 타러 간다.
(skating / soccer)

8 He is a famous _____ player. 그는 유명한 농구 선수다.
(basketball / volleyball)

A 다음 영어 단어의 우리말 뜻을 쓰세요.

1 pool → _____ 2 cook → _____

3 lose → _____ 4 farmer → _____

5 shape → _____ 6 drink → _____

7 wake → _____ 8 heart → _____

9 ski → _____ 10 basketball → _____

B 다음 우리말을 보고 영어표현을 완성하세요.

1 a ☐oc☐er game
→ 축구 경기

2 a red ☐irc☐e
→ 빨간 원

3 at the ☐y☐
→ 체육관에서

4 make a ☐u☐e
→ 정육면체를 만들다

5 ☐i☐ the game
→ 경기를 이기다

6 a bus d☐ive☐
→ 버스 운전자

7 a great ☐ain☐er
→ 위대한 화가

8 t☐m☐ to sleep
→ 잘 시간

9 take a ☐a☐
→ 낮잠 자다

10 play b☐se☐all
→ 야구를 하다

C 우리말과 같도록 괄호 안에서 알맞은 단어에 동그라미 하세요.

1 나는 주말에 늦잠 잔다. → I (sleep / wake) in on the weekend.

2 나에게 공을 패스해라. → (Pass / Win) me the ball.

3 조앤은 유명한 댄서다. → Joanne is a famous (cook / dancer).

4 나는 농구 경기를 본다. → I watch a basketball (gym / game).

5 너는 준비가 됐니? → Are you (ready / win)?

6 지나는 버스를 탈 것이다. → Jina will take a (car / bus).

7 그들은 항상 유니폼을 입는다. → They always (circle / wear) uniforms.

D 다음 우리말을 보고 영어 문장을 완성하세요.

1 They are getting in the ☐a☐. 그들은 자동차에 타고 있다.

2 Paint the ☐ia☐ond in pink. 그 마름모를 핑크색으로 칠해라.

3 Look at the four-leaf clo☐e☐. 네 잎 클로버를 봐라.

4 It is a ba☐min☐on racket. 그것은 배드민턴 라켓이다.

5 I want to be a news☐ep☐rter. 나는 신문 기자가 되기를 원한다.

6 This shirt has large ☐tri☐es. 이 셔츠는 커다란 줄무늬가 있다.

7 He is a popular co☐e☐ian. 그는 인기 있는 코미디언이다.

1

sunny

[sʌ́ni]

맑은

on a sunny day 맑은 날에

2

cloudy

[kláudi]

흐린

too cloudy 너무 흐린

3

rainy

[réini]

비가 오는

the rainy season 비가 오는 시즌(장마철)

4

snowy

[snóui]

눈이 오는

cold and snowy 춥고 눈이 오는

5

windy

[wíndi]

바람이 부는

be windy 바람이 불다

6

foggy

[fɔ́(ː)gi]

안개가 낀

a little foggy 약간 안개가 낀

7

storm

[stɔːrm]

폭풍

after the storm 폭풍 후에

8

weather

[wéðər]

날씨

good weather 좋은 날씨

영어 단어를 큰 소리로 읽으면서 쓰세요.

sunny   sunny

맑은

cloudy   cloudy

흐린

rainy   rainy

비가 오는

snowy   snowy

눈이 오는

windy   windy

바람이 부는

foggy   foggy

· 안개가 낀

storm   storm

폭풍

weather   weather

날씨

Practice

A 단어에 알맞은 그림을 찾아 번호를 쓰세요.

rainy ◯   cloudy ◯   weather ◯   sunny ◯

B 우리말 뜻에 맞는 단어를 찾아 동그라미 하세요.

1 바람이 부는
2 안개가 낀
3 눈이 오는
4 폭풍

1 q r w i n d y w i
2 e r f o g g y q a
3 p q s n o w y e s
4 v r c n s t o r m

C 단어의 알맞은 뜻을 선으로 연결한 후, 빈칸에 철자를 써서 단어를 완성하세요.

1 rainy •   • 비가 오는 → r ☐ i ☐ y

2 cloudy •   • 날씨 → w ☐ at ☐ er

3 sunny •   • 맑은 → ☐ un ☐ y

4 weather •   • 흐린 → c ☐ ou ☐ y

D 보기의 철자를 이용하여 번호 그림에 알맞은 단어를 완성하세요.

보기

d
o
s
y

1 win ☐ ☐   2 f ☐ gg ☐

3 ☐ now ☐   4 ☐ t ☐ rm

Practice More

A 우리말과 같도록 빈칸에 알맞은 단어를 보기 에서 찾아 쓰세요.

보기

sunny	windy	cloudy	foggy
snowy	storm	weather	rainy

1 폭풍 후에 → after the _____

2 비가 오는 시즌 (장마철) → the _____ season

3 너무 흐린 → too _____

4 춥고 눈이 오는 → cold and _____

5 맑은 날에 → on a _____ day

6 좋은 날씨 → good _____

7 바람이 불다 → be _____

8 약간 안개가 낀 → a little _____

B 우리말과 같도록 빈칸에 알맞은 단어를 골라 문장을 완성하세요.

1 It was very _____ yesterday. 어제 무척 바람이 불었다.
(windy / foggy)

2 I walk on a _____ day. 나는 맑은 날에 걷는다.
(snowy / sunny)

3 We expect good _____. 우리는 좋은 날씨를 기대한다.
(storm / weather)

4 It was a little _____ yesterday. 어제는 약간 안개가 끼었다.
(foggy / rainy)

5 It is too _____. 날씨가 너무 흐리다.
(sunny / cloudy)

6 It is cold and _____ today. 오늘은 춥고 눈이 온다.
(snowy / weather)

7 I hate the _____ season. 나는 비가 오는 시즌(장마철)을 싫어한다.
(windy / rainy)

8 It was quiet after the _____. 폭풍 후에는 고요했다.
(cloudy / storm)

1 singing
[síŋiŋ]
노래하기

like singing 노래하기를 좋아하다

2 dancing
[dǽnsiŋ]
춤추기

good at dancing 춤추기를 잘하는

3 writing
[ráitiŋ]
글쓰기

poor at writing 글쓰기를 못 하는

4 reading
[rí:diŋ]
읽기

enjoy reading 읽기를 즐기다

5 listening
[lísniŋ]
듣기

listening to music 음악 듣기

6 watching
[watʃiŋ]
보기

watching TV TV 보기

7 drawing
[drɔ́:iŋ]
그리기

hate drawing 그리기를 싫어하다

8 collecting
[kəléktiŋ]
모으기

collecting stamps 우표 모으기

Let's Write

영어 단어를 큰 소리로 읽으면서 쓰세요.

singing　singing

노래하기

dancing　dancing

춤추기

writing　writing

글쓰기

reading　reading

읽기

listening　listening

듣기

watching　watching

보기

drawing　drawing

그리기

collecting　collecting

모으기

Practice

A 단어에 알맞은 그림을 찾아 번호를 쓰세요.

dancing ◯ reading ◯ singing ◯ listening ◯

B 우리말 뜻에 맞는 단어를 찾아 동그라미 하세요.

1 보기
2 모으기
3 그리기
4 글쓰기

1 c w a t c h i n g m
2 y c o l l e c t i n g
3 e u d r a w i n g r
4 x z w r i t i n g i n

C 단어의 알맞은 뜻을 선으로 연결한 후, 빈칸에 철자를 써서 단어를 완성하세요.

1 singing • • 춤추기 → □ an □ ing

2 dancing • • 노래하기 → sin □ in □

3 listening • • 읽기 → □ ea □ ing

4 reading • • 듣기 → li □ te □ ing

D [보기]의 철자를 이용하여 번호 그림에 알맞은 단어를 완성하세요.

보기

d
o
t
w

1 c □ llec □ ing

2 □ ra □ ing

3 □ a □ ching

4 □ ri □ ing

Practice More

A 우리말과 같도록 빈칸에 알맞은 단어를 보기 에서 찾아 쓰세요.

보기

writing	reading	listening	singing
collecting	watching	drawing	dancing

1 노래하기를 좋아하다 → like _____

2 읽기를 즐기다 → enjoy _____

3 우표 모으기 → _____ stamps

4 TV 보기 → _____ TV

5 음악 듣기 → _____ to music

6 그리기를 싫어하다 → hate _____

7 글쓰기를 못 하는 → poor at _____

8 춤추기를 잘하는 → good at _____

B 우리말과 같도록 빈칸에 알맞은 단어를 골라 문장을 완성하세요.

1   I love _____ to music.   나는 음악 듣기를 무척 좋아한다.
(listening / singing)

2   She is good at _____.   그녀는 춤추기를 잘한다.
(dancing / drawing)

3   Mina likes _____.   미나는 노래하기를 좋아한다.
(watching / singing)

4   I am poor at _____.   나는 글쓰기를 못한다.
(reading / writing)

5   My brother hates _____.   나의 형은 그리기를 싫어한다.
(collecting / drawing)

6   We enjoy _____.   우리는 읽기(독서)를 즐긴다.
(reading / listening)

7   My hobby is _____ stamps.   나의 취미는 우표 모으기다.
(dancing / collecting)

8   I spend _____ TV.   나는 TV 보기로 시간을 보낸다.
(watching / dancing)

18 Color 색

1

red

[red]

빨간색

---

in red 빨간색으로

2

yellow

[jélou]

노란색

---

a yellow balloon 노란색 풍선

3

grey

[grei]

회색

---

dark grey 어두운 회색

4

pink

[piŋk]

분홍색

---

light pink 밝은 분홍색

5

purple

[pə́:rpl]

보라색

---

a purple skirt 보라색 치마

6

orange

[ɔ́(:)rindʒ]

주황색

---

orange pants 주황색 바지

7

green

[gri:n]

초록색

---

green tomatoes 초록색 토마토

8

navy

[néivi]

군청색

---

a navy shirt 군청색 셔츠

Let's Write

영어 단어를 큰 소리로 읽으면서 쓰세요.

red red

빨간색

yellow yellow

노란색

grey grey

회색

pink pink

분홍색

purple purple

보라색

orange orange

· 주황색

green green

초록색

navy navy

군청색

Practice

A 단어에 알맞은 그림을 찾아 번호를 쓰세요.

yellow ◯   red ◯   orange ◯   green ◯

B 우리말 뜻에 맞는 단어를 찾아 동그라미 하세요.

1 회색
2 분홍색
3 보라색
4 군청색

1 a w g r e y f i
2 p o p i n k q s
3 p u r p l e q o
4 k s n a v y n x

C 단어의 알맞은 뜻을 선으로 연결한 후, 빈칸에 철자를 써서 단어를 완성하세요.

1 red •   • 초록색 → ☐ ree ☐

2 green •   • 주황색 → o ☐ an ☐ e

3 orange •   • 빨간색 → ☐ e ☐

4 yellow •   • 노란색 → y ☐ ☐ low

D 보기 의 철자를 이용하여 번호 그림에 알맞은 단어를 완성하세요.

보기
e
g
n
p
y

1 ☐ re ☐

2 ☐ i ☐ k

3 ☐ urpl ☐

4 ☐ av ☐

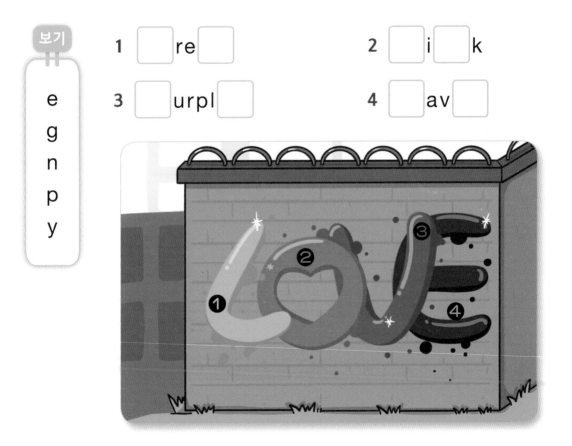

Practice More

A 우리말과 같도록 빈칸에 알맞은 단어를 보기 에서 찾아 쓰세요.

보기

green	navy	red	yellow
grey	orange	pink	purple

1 보라색 치마 → a ＿＿＿＿＿＿ skirt

2 빨간색으로 → in ＿＿＿＿＿＿

3 어두운 회색 → dark ＿＿＿＿＿＿

4 노란색 풍선 → a ＿＿＿＿＿＿ balloon

5 군청색 셔츠 → a ＿＿＿＿＿＿ shirt

6 초록색 토마토 → ＿＿＿＿＿＿ tomatoes

7 주황색 바지 → ＿＿＿＿＿＿ pants

8 밝은 분홍색 → light ＿＿＿＿＿＿

B 우리말과 같도록 빈칸에 알맞은 단어를 골라 문장을 완성하세요.

1 His eyes are dark _____. 그의 눈은 어두운 회색이다.
   (grey / pink)

2 She buys a _____ balloon. 그녀는 노란색 풍선을 산다.
   (orange / yellow)

3 Paint the wall in _____. 벽을 빨간색으로 칠해라.
   (red / navy)

4 Light _____ is my favorite. 밝은 분홍색은 내가 좋아하는 색이다.
   (green / pink)

5 He wears a _____ shirt. 그는 군청색 셔츠를 입는다.
   (navy / green)

6 Let's buy _____ pants. 주황색 바지를 사자.
   (orange / red)

7 The girl wears a _____ skirt. 그 소녀는 보라색 치마를 입는다.
   (grey / purple)

8 I don't eat _____ tomatoes. 나는 초록색 토마토를 안 먹는다.
   (green / pink)

1 morning

[mɔ́:rniŋ]

아침, 오전

in the morning 아침에

2 afternoon

[ǽ:ftərnú:n]

오후

in the afternoon 오후에

3 evening

[í:vniŋ]

저녁

in the evening 저녁에

4 clock

[klɑk]

시계

an alarm clock 알람 시계

5 minute

[mínit]

분

a minute 일 분

6 second

[sékənd]

초

per second 초당

7 fast

[fæst]

빠른

a fast runner 빠른 주자

8 slow

[slou]

느린

a slow walker 걸음이 느린 사람

영어 단어를 큰 소리로 읽으면서 쓰세요.

morning morning
아침, 오전

afternoon afternoon
오후

evening evening
저녁

clock clock
시계

minute minute
분

second second
초

fast fast
빠른

slow slow
느린

Practice

A 단어에 알맞은 그림을 찾아 번호를 쓰세요.

afternoon ◯　　morning ◯　　evening ◯　　clock ◯

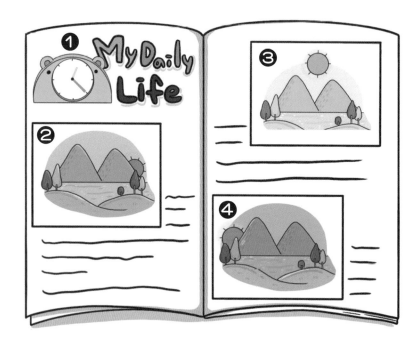

B 우리말 뜻에 맞는 단어를 찾아 동그라미 하세요.

1 빠른
2 느린
3 초
4 분

1 u n f a s t r u n s
2 l d s l o w u a x e
3 j k o s e c o n d e
4 w i m i n u t e w i

C 단어의 알맞은 뜻을 선으로 연결한 후, 빈칸에 철자를 써서 단어를 완성하세요.

1 clock •   • 오후 → a ☐ ter ☐ oon

2 evening •   • 저녁 → ☐ v ☐ ning

3 afternoon •   • 시계 → ☐ lo ☐ k

4 morning •   • 아침, 오전 → m ☐ rni ☐ g

D 보기 의 철자를 이용하여 번호 그림에 알맞은 단어를 완성하세요.

보기

m
n
o
s
t

1 sec ☐ ☐ d

2 ☐ l ☐ w

3 ☐ inu ☐ e

4 fa ☐ ☐

Practice More

A 우리말과 같도록 빈칸에 알맞은 단어를 보기 에서 찾아 쓰세요.

보기

minute	evening	morning	slow
second	fast	clock	afternoon

1 아침에 → in the _____

2 알람 시계 → an alarm _____

3 오후에 → in the _____

4 일 분 → a _____

5 저녁에 → in the _____

6 초당 → per _____

7 걸음이 느린 사람 → a _____ walker

8 빠른 주자 → a _____ runner

B 우리말과 같도록 빈칸에 알맞은 단어를 골라 문장을 완성하세요.

1 The dog runs 10*m* per _____. 그 개는 초당 10m를 달린다.
   (second / minute)

2 They play in the _____. 그들은 오후에 논다.
   (afternoon / evening)

3 Wait a _____, please. 일 분만(잠깐) 기다려 주세요.
   (morning / minute)

4 We watch TV in the _____. 우리는 저녁에 TV를 본다.
   (evening / slow)

5 It is an alarm _____. 그것은 알람 시계다.
   (clock / morning)

6 She is a _____ walker. 그녀는 걸음이 느린 사람이다.
   (slow / fast)

7 I get up early in the _____. 나는 아침에 일찍 일어난다.
   (morning / afternoon)

8 He is a _____ runner. 그는 빠른 주자다.
   (second / fast)

1

screen
[skri:n]
화면

a big screen 큰 화면

2

stage
[steidʒ]
무대

on the stage 무대에서

3

seat
[si:t]
좌석

have a seat 좌석에 앉다

4

number
[nʌ́mbər]
번호

TICKET B-1256

a ticket number 티켓 번호

5

row
[rou]
열

a back row 뒤 열

6

actor
[ǽktər]
배우

a movie actor 영화 배우

7

actress
[ǽktris]
여배우

a new actress 신인 여배우

8

director
[diréktər]
감독

a famous director 유명한 감독

Let's Write

영어 단어를 큰 소리로 읽으면서 쓰세요.

screen screen

화면

stage stage

무대

seat seat

좌석

number number

번호

row row

열

actor actor

· 배우

actress actress

여배우

director director

감독

Practice

A 단어에 알맞은 그림을 찾아 번호를 쓰세요.

director ◯　　actor ◯　　stage ◯　　actress ◯

B 우리말 뜻에 맞는 단어를 찾아 동그라미 하세요.

1 화면
2 번호
3 열
4 좌석

1 a c s c r e e n t r i
2 s t n u m b e r i n
3 a r o w e r i o x s
4 p s g s e a t i o n

C 단어의 알맞은 뜻을 선으로 연결한 후, 빈칸에 철자를 써서 단어를 완성하세요.

1 actor ● ● 배우 → □cto□

2 actress ● ● 무대 → st□g□

3 director ● ● 감독 → dir□ct□r

4 stage ● ● 여배우 → a□t□ess

D 보기 의 철자를 이용하여 번호 그림에 알맞은 단어를 완성하세요.

보기

r
s
t
u
w

1 n□mbe□

2 □ea□

3 □o□

4 □c□een

Practice More

A 우리말과 같도록 빈칸에 알맞은 단어를 보기에서 찾아 쓰세요.

보기
stage	number	screen	seat
director	row	actress	actor

1 신인 여배우 → a new _____

2 유명한 감독 → a famous _____

3 좌석에 앉다 → have a _____

4 무대에서 → on the _____

5 뒤 열 → a back _____

6 티켓 번호 → a ticket _____

7 큰 화면 → a big _____

8 영화 배우 → a movie _____

B 우리말과 같도록 빈칸에 알맞은 단어를 골라 문장을 완성하세요.

1 He is dancing on the _____. 그는 무대에서 춤을 추고 있다.
(stage / seat)

2 I see it on a big _____. 나는 그것을 큰 화면으로 본다.
(director / screen)

3 She is a new _____. 그녀는 신인 여배우다.
(number / actress)

4 Jason is a movie _____. 제이슨은 영화 배우다.
(row / actor)

5 What's your ticket _____? 너의 티켓 번호는 뭐니?
(number / stage)

6 Mr. Carter is a famous _____. 카터 씨는 유명한 감독이다.
(director / actor)

7 Have a _____, please. 좌석에 앉아 주세요.
(screen / seat)

8 Let's sit in the back _____. 뒤 열에 앉자.
(row / actress)

A 다음 영어 단어의 우리말 뜻을 쓰세요.

1 evening → _____

2 screen → _____

3 morning → _____

4 green → _____

5 red → _____

6 singing → _____

7 number → _____

8 cloudy → _____

9 writing → _____

10 rainy → _____

B 다음 우리말을 보고 영어표현을 완성하세요.

1 on a ☐un☐y day
→ 맑은 날에

2 good at ☐an☐ing
→ 춤추기를 잘하는

3 have a ☐ea☐
→ 좌석에 앉다

4 o☐an☐e pants
→ 주황색 바지

5 in the ☐fter☐oon
→ 오후에

6 enjoy r☐a☐ing
→ 읽기를 즐기다

7 be ☐ind☐
→ 바람이 불다

8 on the s☐ag☐
→ 무대에서

9 an alarm c☐oc☐
→ 알람 시계

10 dark ☐re☐
→ 어두운 회색

C 우리말과 같도록 괄호 안에서 알맞은 단어에 동그라미 하세요.

1 뒤 열에 앉자. → Let's sit in the back (seat / row).

2 밝은 분홍색은 내가 좋아하는 색이다. → Light (pink / red) is my favorite.

3 제이슨은 영화 배우다. → Jason is a movie (stage / actor).

4 그는 군청색 셔츠를 입는다. → He wears a (navy / grey) shirt.

5 나는 TV 보기로 시간을 보낸다. → I spend (watching / clock) TV.

6 오늘은 춥고 눈이 온다. → It is cold and (slow / snowy) today.

7 일 분만(잠깐) 기다려 주세요. → Wait a (minute / fast), please.

D 다음 우리말을 보고 영어 문장을 완성하세요.

1 Mr. Carter is a famous ☐irec☐or. 카터 씨는 유명한 감독이다.

2 My brother hates d☐a☐ing. 나의 형은 그리기를 싫어한다.

3 It was a little f☐gg☐ yesterday. 어제는 약간 안개가 끼었다.

4 She is a new ac☐re☐s. 그녀는 신인 여배우다.

5 It was quiet after the ☐to☐m. 폭풍 후에는 고요했다.

6 My hobby is c☐llec☐ing stamps. 나의 취미는 우표 모으기다.

7 The dog runs 10*m* per s☐co☐d. 그 개는 초당 10m를 달린다.

1
computer
[kəmpjúːtər]

컴퓨터

an old computer 오래된 컴퓨터

2
monitor
[mánitər]

모니터

a big monitor 큰 모니터

3
keyboard
[kíːbɔ̀ːrd]

키보드

a new keyboard 새 키보드

4
mouse
[maus]

마우스

click a mouse 마우스를 클릭하다

5
laptop
[læptap]

노트북

a laptop computer 노트북 컴퓨터

6
tablet
[tǽblit]

태블릿

a tablet PC 태블릿 PC

7
scanner
[skǽnər]

스캐너

buy a scanner 스캐너를 사다

8
printer
[príntər]

프린터

a color printer 컬러 프린터

영어 단어를 큰 소리로 읽으면서 쓰세요.

computer computer

컴퓨터

monitor monitor

모니터

keyboard keyboard

키보드

mouse mouse

마우스

laptop laptop

노트북

tablet tablet

· 태블릿

scanner scanner

스캐너

printer printer

프린터

Practice

A 단어에 알맞은 그림을 찾아 번호를 쓰세요.

mouse ◯   monitor ◯   keyboard ◯   computer ◯

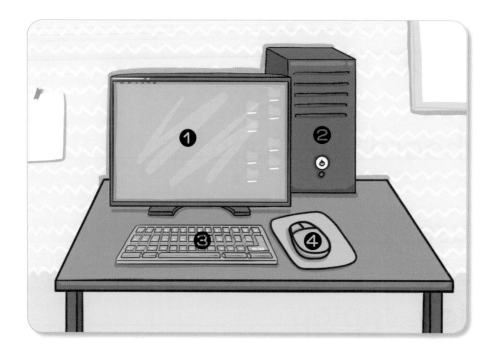

B 우리말 뜻에 맞는 단어를 찾아 동그라미 하세요.

1 노트북
2 프린터
3 스캐너
4 태블릿

1 u l a p t o p b v
2 p r i n t e r b c x
3 p s c a n n e r e
4 i r t a b l e t x m

C 단어의 알맞은 뜻을 선으로 연결한 후, 빈칸에 철자를 써서 단어를 완성하세요.

1 mouse ● ● 마우스 → ☐ou☐e

2 monitor ● ● 모니터 → mo☐ito☐

3 keyboard ● ● 컴퓨터 → co☐pu☐er

4 computer ● ● 키보드 → key☐oa☐d

D 보기 의 철자를 이용하여 번호 그림에 알맞은 단어를 완성하세요.

보기

e
o
s
t

1 prin☐☐r

2 ☐cann☐r

3 ☐abl☐t

4 lap☐☐p

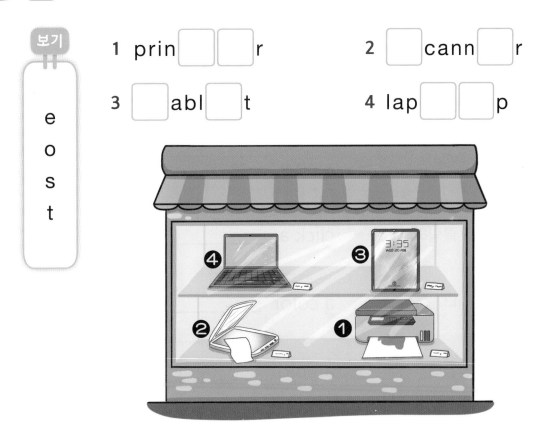

Practice More

A 우리말과 같도록 빈칸에 알맞은 단어를 보기 에서 찾아 쓰세요.

보기

mouse	printer	computer	laptop
monitor	scanner	tablet	keyboard

1 노트북 컴퓨터 → a _____ computer

2 태블릿 PC → a _____ PC

3 스캐너를 사다 → buy a _____

4 큰 모니터 → a big _____

5 새 키보드 → a new _____

6 마우스를 클릭하다 → click a _____

7 컬러 프린터 → a color _____

8 오래된 컴퓨터 → an old _____

B 우리말과 같도록 빈칸에 알맞은 단어를 골라 문장을 완성하세요.

1 Dad has a _____ PC. 아빠는 태블릿 PC가 있다.
(tablet / scanner)

2 Let's buy a _____ computer. 노트북 컴퓨터를 사자.
(keyboard / laptop)

3 I need a color _____. 나는 컬러 프린터가 필요하다.
(computer / printer)

4 You can use a big _____. 너는 큰 모니터를 쓸 수 있다.
(monitor / tablet)

5 We have to buy a _____. 우리는 스캐너를 사야 한다.
(scanner / mouse)

6 I have an old _____. 나는 오래된 컴퓨터가 있다.
(monitor / computer)

7 Bring your new _____. 너의 새 키보드를 가지고 와라.
(laptop / keyboard)

8 Just click the _____. 마우스를 그냥 클릭해라.
(mouse / computer)

1

spring

[spriŋ]

봄

early spring 이른 봄

2

summer

[sʌ́mər]

여름

late summer 늦은 여름

3

fall

[fɔːl]

가을

in the fall 가을에

4

winter

[wíntər]

겨울

the winter vacation 겨울방학

5

season

[síːzən]

계절

dry season 건조한 계절

6

wet

[wet]

습한

wet season 습한 계절

7

dry

[drai]

건조한

dry and hot 건조하고 더운

8

blooming

[blúːmiŋ]

꽃이 피는

a blooming month 꽃이 피는 달

영어 단어를 큰 소리로 읽으면서 쓰세요.

spring spring

봄

summer summer

여름

fall fall

가을

winter winter

겨울

season season

계절

wet wet

습한

dry dry

건조한

blooming blooming

꽃이 피는

Practice

A 단어에 알맞은 그림을 찾아 번호를 쓰세요.

fall ◯   spring ◯   winter ◯   summer ◯

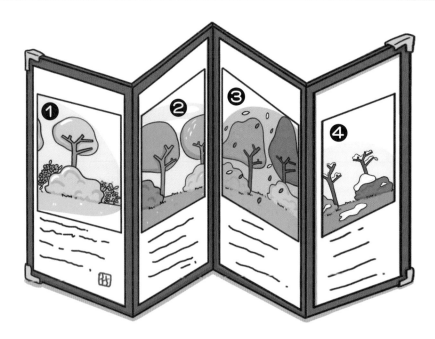

B 우리말 뜻에 맞는 단어를 찾아 동그라미 하세요.

1 계절
2 꽃이 피는
3 건조한
4 습한

1 b x s e a s o n p x
2 u c b l o o m i n g
3 r e y d r y p c o d
4 q o w e t e r e n i

C 단어의 알맞은 뜻을 선으로 연결한 후, 빈칸에 철자를 써서 단어를 완성하세요.

1 [fall] •   • [겨울] → [ ]int[ ]r

2 [spring] •   • [가을] → [ ]a[ ]l

3 [winter] •   • [여름] → [ ]um[ ]er

4 [summer] •   • [봄] → s[ ]rin[ ]

D 보기 의 철자를 이용하여 번호 그림에 알맞은 단어를 완성하세요.

보기

m
o
s
w
y

1 [ ]et

2 [ ]eas[ ]n

3 bl[ ]o[ ]ing

4 dr[ ]

A 우리말과 같도록 빈칸에 알맞은 단어를 보기 에서 찾아 쓰세요.

보기

blooming	summer	spring	fall
winter	dry	wet	season

1 꽃이 피는 달 → a _____ month

2 늦은 여름 → late _____

3 겨울방학 → the _____ vacation

4 건조한 계절 → dry _____

5 이른 봄 → early _____

6 건조하고 더운 → _____ and hot

7 습한 계절 → _____ season

8 가을에 → in the _____

B 우리말과 같도록 빈칸에 알맞은 단어를 골라 문장을 완성하세요.

1 It is late _____. 늦은 여름이다.
(season / summer)

2 I love early _____. 나는 이른 봄을 매우 좋아한다.
(winter / spring)

3 The dry _____ begins in March. 건조한 계절은 3월에 시작한다.
(season / dry)

4 The _____ vacation is coming. 겨울방학이 다가오고 있다.
(winter / fall)

5 Summer is a _____ season. 여름은 습한 계절이다.
(wet / spring)

6 The climate here is _____ and hot. 여기 기후는 건조하고 덥다.
(dry / blooming)

7 May is a _____ month. 5월은 꽃이 피는 달이다.
(blooming / summer)

8 I go hiking in the _____. 나는 가을에 하이킹을 간다.
(fall / wet)

1
coffee
[kɔ́(ː)fi]
커피

strong coffee 진한 커피

2
tea
[tiː]
차

green tea 녹차

3
juice
[dʒuːs]
주스

apple juice 사과 주스

4
soda
[sóudə]
탄산음료

order a soda 탄산음료를 주문하다

5
cold
[kould]
차가운

cold water 차가운 물

6
hot
[hɑt]
뜨거운

hot tea 뜨거운 차

7
iced
[aist]
얼음이 있는

an iced drink 얼음이 있는 음료

8
café
[kæféi]
카페

in the café 카페에서

영어 단어를 큰 소리로 읽으면서 쓰세요.

coffee coffee

커피

tea tea

차

juice juice

주스

soda soda

탄산음료

cold cold

차가운

hot hot

뜨거운

iced iced

얼음이 있는

café café

카페

Practice

A 단어에 알맞은 그림을 찾아 번호를 쓰세요.

juice ◯　　tea ◯　　coffee ◯　　soda ◯

B 우리말 뜻에 맞는 단어를 찾아 동그라미 하세요.

1 얼음이 있는
2 차가운
3 카페
4 뜨거운

1 alicedeci
2 fhcoldya
3 aucaféuy
4 cakhotwc

C 단어의 알맞은 뜻을 선으로 연결한 후, 빈칸에 철자를 써서 단어를 완성하세요.

1 tea ● ● 주스 → j ☐ ic ☐

2 juice ● ● 차 → ☐ e ☐

3 soda ● ● 탄산음료 → ☐ od

4 coffee ● ● 커피 → c ☐ ffe ☐

D 보기 의 철자를 이용하여 번호 그림에 알맞은 단어를 완성하세요.

보기

c
d
h
t

1 ☐ ol ☐   2 ☐ o ☐

3 ☐ afé   4 i ☐ e ☐

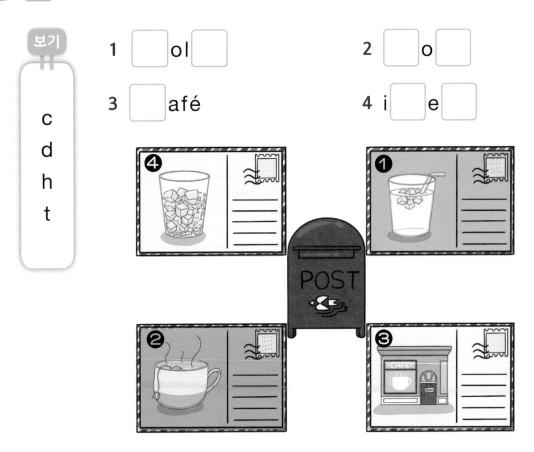

Practice More

A 우리말과 같도록 빈칸에 알맞은 단어를 [보기]에서 찾아 쓰세요.

보기			
tea	iced	juice	cold
hot	soda	café	coffee

1 탄산음료를 주문하다 → order a _____

2 카페에서 → in the _____

3 사과 주스 → apple _____

4 진한 커피 → strong _____

5 녹차 → green _____

6 차가운 물 → _____ water

7 뜨거운 차 → _____ tea

8 얼음이 있는 음료 → an _____ drink

B 우리말과 같도록 빈칸에 알맞은 단어를 골라 문장을 완성하세요.

1 He loves green _____. 그는 녹차를 매우 좋아한다.
   (tea / coffee)

2 She drinks _____ tea. 그녀는 뜨거운 차를 마신다.
   (café / hot)

3 It is an _____ drink. 그것은 얼음이 있는 음료다.
   (iced / juice)

4 They sell _____ water. 그들은 차가운 물을 판다.
   (cold / iced)

5 Order me a _____, please. 탄산음료를 주문해 주세요.
   (hot / soda)

6 I need strong _____. 나는 진한 커피가 필요하다.
   (coffee / cold)

7 Apple _____, please. 사과 주스를 주세요.
   (juice / tea)

8 We are talking in the _____. 우리는 카페에서 이야기하고 있다.
   (cold / café)

1 small

[smɔːl]

작은

a small bird 작은 새

2 medium

[míːdiəm]

중간의

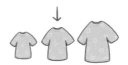

a medium size 중간 사이즈

3 large

[lɑːrdʒ]

커다란

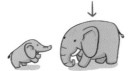

a large elephant 커다란 코끼리

4 soft

[sɔ(ː)ft]

부드러운

a soft towel 부드러운 수건

5 long

[lɔ(ː)ŋ]

긴

a long table 긴 탁자

6 short

[ʃɔːrt]

짧은

short hair 짧은 머리

7 fat

[fæt]

뚱뚱한

get fat 뚱뚱해지다

8 thin

[θin]

마른

look thin 말라 보이다

영어 단어를 큰 소리로 읽으면서 쓰세요.

small small

작은

medium medium

중간의

large large

커다란

soft soft

부드러운

long long

긴

short short

짧은

fat fat

뚱뚱한

thin thin

마른

Practice

A 단어에 알맞은 그림을 찾아 번호를 쓰세요.

soft ◯　　medium ◯　　small ◯　　large ◯

B 우리말 뜻에 맞는 단어를 찾아 동그라미 하세요.

1 뚱뚱한
2 마른
3 긴
4 짧은

1 eysfatojen
2 opthinacd
3 stlongyesi
4 abshortqx

C 단어의 알맞은 뜻을 선으로 연결한 후, 빈칸에 철자를 써서 단어를 완성하세요.

1 large • • 부드러운 → □ o □ t

2 small • • 작은 → s □ al □

3 soft • • 커다란 → l □ r □ e

4 medium • • 중간의 → m □ di □ m

D 보기 의 철자를 이용하여 번호 그림에 알맞은 단어를 완성하세요.

보기

f
g
n
o
t

1 □ hi □

2 sh □ r □

3 □ a □

4 l □ n □

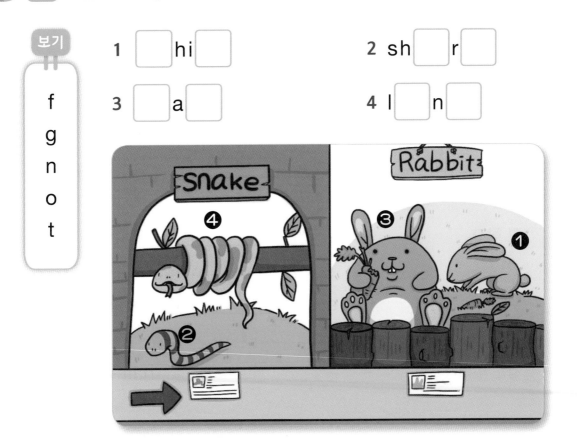

Practice More

A 우리말과 같도록 빈칸에 알맞은 단어를 보기 에서 찾아 쓰세요.

보기

small	large	short	medium
long	soft	thin	fat

1 작은 새 → a _____ bird

2 중간 사이즈 → a _____ size

3 말라 보이다 → look _____

4 뚱뚱해지다 → get _____

5 커다란 코끼리 → a _____ elephant

6 긴 탁자 → a _____ table

7 부드러운 수건 → a _____ towel

8 짧은 머리 → _____ hair

B 우리말과 같도록 빈칸에 알맞은 단어를 골라 문장을 완성하세요.

1 Look at the _____ elephant. 그 커다란 코끼리를 봐라.
   (large / thin)

2 They need a _____ towel. 그들은 부드러운 수건이 필요하다.
   (short / soft)

3 My brother has _____ hair. 나의 형은 머리가 짧다.
   (fat / short)

4 This shirt is a _____ size. 이 셔츠는 중간 사이즈다.
   (big / medium)

5 She never gets _____. 그녀는 결코 뚱뚱해지지 않는다.
   (thin / fat)

6 Move the _____ table. 그 긴 탁자를 옮겨라.
   (short / long)

7 The _____ bird is singing. 그 작은 새는 노래하고 있다.
   (small / medium)

8 The boy looks _____. 그 소년은 말라 보인다.
   (thin / long)

1

go
[gou]
가다

---

go home 집에 가다

2

come
[kʌm]
오다

---

come back 돌아오다

3

have
[hæv]
가지다

---

have a car 자동차를 가지다

4

pick
[pik]
고르다

---

pick a card 카드를 고르다

5

take
[teik]
가지고 가다

---

take an umbrella 우산을 가지고 가다

6

bring
[briŋ]
가지고 오다

---

bring lunch 점심을 가지고 오다

7

get
[get]
받다

---

get a letter 편지를 받다

8

put
[pʌt]
놓다

---

put a book 책을 놓다

영어 단어를 큰 소리로 읽으면서 쓰세요.

go go

가다

come come

오다

have have

가지다

pick pick

고르다

take take

가지고 가다

bring bring

· 가지고 오다

get get

받다

put put

놓다

Practice

A 단어에 알맞은 그림을 찾아 번호를 쓰세요.

come ◯　　go ◯　　have ◯　　pick ◯

B 우리말 뜻에 맞는 단어를 찾아 동그라미 하세요.

1 놓다
2 가지고 오다
3 가지고 가다
4 받다

1 u y e p u t q s o
2 c b b r i n g u r
3 q i t a k e i a b c
4 c g e t u y i o n

C 단어의 알맞은 뜻을 선으로 연결한 후, 빈칸에 철자를 써서 단어를 완성하세요.

1 go ● ● 가지다 → ☐ a ☐ e

2 come ● ● 오다 → c ☐ m ☐

3 have ● ● 가다 → ☐ o

4 pick ● ● 고르다 → ☐ ic ☐

D 보기 의 철자를 이용하여 번호 그림에 알맞은 단어를 완성하세요.

보기
b
e
n
t

1 pu ☐

2 ☐ ak ☐

3 g ☐ ☐

4 ☐ ri ☐ g

Practice More

A 우리말과 같도록 빈칸에 알맞은 단어를 보기 에서 찾아 쓰세요.

보기

put	come	take	go
get	bring	pick	have

1 집에 가다 → _____ home

2 우산을 가지고 가다 → _____ an umbrella

3 점심을 가지고 오다 → _____ lunch

4 돌아오다 → _____ back

5 카드를 고르다 → _____ a card

6 책을 놓다 → _____ a book

7 편지를 받다 → _____ a letter

8 자동차를 가지다 → _____ a car

B 우리말과 같도록 빈칸에 알맞은 단어를 골라 문장을 완성하세요.

1 It is time to _____ home. 집에 갈 시간이다.
   (go / pick)

2 _____ back until 5. 5시까지 돌아와라.
   (Come / Have)

3 She didn't _____ a letter. 그녀는 편지를 받지 못했다.
   (get / go)

4 We always _____ lunch. 우리는 항상 점심을 가지고 온다.
   (bring / take)

5 Would you _____ a card? 네가 카드를 고를래?
   (take / pick)

6 My uncles _____ cars. 나의 삼촌들은 자동차를 가지고 있다.
   (have / come)

7 _____ the book on the desk. 그 책을 책상에 놓아라.
   (Bring / Put)

8 _____ an umbrella with you. 우산을 가지고 가라.
   (Take / Get)

A 다음 영어 단어의 우리말 뜻을 쓰세요.

1 keyboard → _____
2 long → _____
3 coffee → _____
4 small → _____
5 have → _____
6 season → _____
7 juice → _____
8 computer → _____
9 summer → _____
10 pick → _____

B 다음 우리말을 보고 영어표현을 완성하세요.

1 ☐o☐e back
→ 돌아오다

2 order a s☐d☐
→ 탄산음료를 주문하다

3 a color ☐rint☐r
→ 컬러 프린터

4 a ☐o☐t towel
→ 부드러운 수건

5 green ☐e☐
→ 녹차

6 get f☐☐
→ 뚱뚱해지다

7 early s☐rin☐
→ 이른 봄

8 the ☐int☐r vacation
→ 겨울방학

9 click a ☐o☐se
→ 마우스를 클릭하다

10 ☐o home
→ 집에 가다

C 우리말과 같도록 괄호 안에서 알맞은 단어에 동그라미 하세요.

1 이 셔츠는 중간 사이즈다. → This shirt is a (medium / big) size.

2 여기 기후는 건조하고 덥다. → The climate here is (wet / dry) and ho

3 그것은 얼음이 있는 음료다. → It is an (iced / cold) drink.

4 나는 가을에 하이킹을 간다. → I go hiking in the (soft / fall).

5 그 소년은 말라 보인다. → The boy looks (thin / fat).

6 우리는 항상 점심을 가지고 온다. → We always (bring / take) lunch.

7 나의 형은 머리가 짧다. → My brother has (long / short) hair.

D 다음 우리말을 보고 영어 문장을 완성하세요.

1 We are talking in the [ ]a[ ]é. 우리는 카페에서 이야기하고 있다.

2 She didn't [ ]e[ ] a letter. 그녀는 편지를 받지 못했다.

3 She drinks [ ]o[ ] tea. 그녀는 뜨거운 차를 마신다.

4 [ ]u[ ] the book on the desk. 그 책을 책상에 놓아라.

5 Let's buy a l[ ]p[ ]op computer. 노트북 컴퓨터를 사자.

6 You can use a big [ ]oni[ ]or. 너는 큰 모니터를 쓸 수 있다.

7 Dad has a t[ ]ble[ ] PC. 아빠는 태블릿 PC가 있다.

Answers

Unit 01 Body

Practice

A　eye ①　　　　lips ③
　　ear ④　　　　nose ②

B　1 mouth　　　2 body
　　3 head　　　　4 hips

C　1 귀 → ear
　　2 코 → nose
　　3 눈 → eye
　　4 입술 → lips

D　1 hips　　　　2 mouth
　　3 body　　　　4 head

Practice More

A　1 eye　　　　2 ear
　　3 head　　　　4 lips
　　5 nose　　　　6 mouth
　　7 body　　　　8 hips

B　1 mouth　　　2 head
　　3 nose　　　　4 lips
　　5 hips　　　　6 ear
　　7 eye　　　　8 body

Unit 02 Family

Practice

A　mother ①　　　grandpa ③
　　father ④　　　grandma ②

B　1 big　　　　2 little
　　3 twin　　　　4 children

C　1 어머니 → mother
　　2 아버지 → father
　　3 할아버지 → grandpa
　　4 할머니 → grandma

D　1 twin　　　　2 children
　　3 big　　　　4 little

Practice More

A　1 twin　　　　2 father
　　3 big　　　　4 children
　　5 mother　　　6 grandpa
　　7 grandma　　8 little

B　1 little　　　2 grandma
　　3 big　　　　4 twin
　　5 father　　　6 grandpa
　　7 children　　8 mother

Unit 03 School

Practice

A　chalk ②　　　blackboard ①
　　student ④　　teacher ③

B　1 class　　　　2 school
　　3 gate　　　　4 classroom

C　1 선생님 → teacher
　　2 분필 → chalk
　　3 학생 → student
　　4 칠판 → blackboard

D　1 gate　　　　2 school
　　3 class　　　　4 classroom

Practice More

A 1 classroom 2 blackboard
  3 teacher 4 school
  5 class 6 student
  7 gate 8 chalk

B 1 classroom 2 gate
  3 chalk 4 school
  5 class 6 teacher
  7 blackboard 8 student

Unit 04 Room

Practice

A bed ④ lamp ③
  chair ① desk ②

B 1 backpack 2 notebook
  3 case 4 eraser

C 1 책상 → desk
  2 램프, 등 → lamp
  3 침대 → bed
  4 의자 → chair

D 1 case 2 backpack
  3 notebook 4 eraser

Practice More

A 1 notebook 2 backpack
  3 eraser 4 chair
  5 lamp 6 bed
  7 case 8 desk

B 1 backpack 2 chair
  3 desk 4 lamp
  5 bed 6 notebook
  7 eraser 8 case

Unit 05 Bathroom

Practice

A toothpaste ② shampoo ④
  towel ① mirror ③

B 1 wash 2 bath
  3 toilet 4 brush

C 1 거울 → mirror
  2 수건 → towel
  3 치약 → toothpaste
  4 샴푸 → shampoo

D 1 brush 2 bath
  3 wash 4 toilet

Practice More

A 1 toilet 2 mirror
  3 brush 4 toothpaste
  5 shampoo 6 wash
  7 bath 8 towel

B 1 toilet 2 toothpaste
  3 towel 4 mirror
  5 shampoo 6 wash
  7 bath 8 brush

Review Unit 01-05

A 1 책상 2 아버지
  3 학교 4 의자
  5 배낭 6 학생
  7 어머니 8 수건
  9 코 10 거울

B 1 eye 2 mouth
  3 big 4 classroom

5 case   6 little
7 bath   8 bed
9 class   10 wash

C 1 ear   2 gate
3 lips   4 eraser
5 toilet   6 head
7 toothpaste

D 1 brush   2 teacher
3 grandpa   4 children
5 body   6 notebook
7 blackboard

Unit 06 Living Room

Practice

A table ④   window ②
rug ③   sofa ①

B 1 wall   2 room
3 watch   4 door

C 1 양탄자 → rug
2 소파 → sofa
3 탁자 → table
4 창문 → window

D 1 door   2 watch
3 room   4 wall

Practice More

A 1 watch   2 sofa
3 rug   4 wall
5 window   6 door
7 table   8 room

B 1 table   2 sofa
3 wall   4 rug

5 room   6 watch
7 door   8 window

Unit 07 Toy

Practice

A top ④   blocks ②
robot ③   train ①

B 1 puzzle   2 doll
3 toy   4 board

C 1 팽이 → top
2 기차 → train
3 블록 → blocks
4 로봇 → robot

D 1 doll   2 board
3 toy   4 puzzle

Practice More

A 1 top   2 puzzle
3 robot   4 doll
5 train   6 toy
7 blocks   8 board

B 1 puzzle   2 train·
3 robot   4 board
5 doll   6 blocks
7 toy   8 top

Unit 08 Library

Practice

A book ②   comic ③
bestseller ①   card ④

B 1 reader   2 writer
   3 quiet   4 tale

C 1 카드 → card
   2 책 → book
   3 만화(의) → comic
   4 베스트셀러 → bestseller

D 1 tale   2 reader
   3 quiet   4 writer

Practice More

A 1 quiet   2 book
   3 bestseller 4 tale
   5 writer   6 reader
   7 card   8 comic

B 1 card   2 tale
   3 reader   4 bestseller
   5 book   6 comic
   7 quiet   8 writer

Unit 09 Study

Practice

A math ①   science ③
   English ②   quiz ④

B 1 study   2 check
   3 note   4 give

C 1 수학 → math
   2 퀴즈 → quiz
   3 과학 → science
   4 영어 → English

D 1 study   2 note
   3 check   4 give

Practice More

A 1 give   2 science
   3 note   4 study
   5 quiz   6 English
   7 math   8 check

B 1 English   2 math
   3 study   4 quiz
   5 give   6 note
   7 check   8 science

Unit 10 Park

Practice

A tree ①   path ③
   flower ④   bench ②

B 1 park   2 run
   3 jog   4 walk

C 1 나무 → tree
   2 길 → path
   3 꽃 → flower
   4 벤치 → bench

D 1 walk   2 park
   3 run   4 jog

Practice More

A 1 tree   2 park
   3 jog   4 walk
   5 flower   6 path
   7 run   8 bench

B 1 tree   2 park
   3 bench   4 jog
   5 run   6 walk
   7 flower   8 path

A
1	퍼즐	2	공부(하다)
3	소파	4	달리다
5	나무	6	문
7	책	8	기차
9	수학	10	이야기

B
1	toy	2	comic
3	top	4	English
5	watch	6	card
7	room	8	walk
9	jog	10	note

C
1	window	2	path
3	quiet	4	rug
5	writer	6	reader
7	board		

D
1	bestseller	2	doll
3	science	4	wall
5	bench	6	check
7	give		

Unit 11 Job

Practice

A
cook ④		reporter ②
farmer ①		driver ③

B
1	painter	2	singer
3	comedian	4	dancer

C
1 요리사 → cook
2 운전자 → driver
3 농부 → farmer
4 기자 → reporter

D
1	painter	2	comedian
3	singer	4	dancer

Practice More

A
1	singer	2	reporter
3	farmer	4	driver
5	cook	6	comedian
7	painter	8	dancer

B
1	singer	2	farmer
3	comedian	4	dancer
5	reporter	6	painter
7	driver	8	cook

Unit 12 Daily Works

Practice

A
drink ④		wake ①
sleep ②		wear ③

B
1	bus	2	car
3	nap	4	time

C
1 자다 → sleep
2 깨(우)다 → wake
3 입다 → wear
4 마시다 → drink

D
1	car	2	time
3	nap	4	bus

Practice More

A
1	bus	2	sleep
3	wear	4	time
5	wake	6	car
7	nap	8	drink

B 1 wear   2 sleep
   3 time   4 Drink
   5 car   6 Wake
   7 nap   8 bus

Unit 13 Shape

Practice

A stripes ③   clover ④
   circle ②   shape ①

B 1 heart   2 diamond
   3 cube   4 pyramid

C 1 원 → circle
   2 클로버 → clover
   3 줄무늬 → stripes
   4 모양 → shape

D 1 diamond   2 cube
   3 pyramid   4 heart

Practice More

A 1 stripes   2 shape
   3 heart   4 clover
   5 diamond   6 pyramid
   7 cube   8 circle

B 1 pyramid   2 circle
   3 shape   4 heart
   5 clover   6 stripes
   7 diamond   8 cube

Unit 14 Gym

Practice

A ready ①   lose ③
   dive ②   pass ④

B 1 gym   2 win
   3 pool   4 game

C 1 지다 → lose
   2 패스하다 → pass
   3 뛰어들다 → dive
   4 준비가 된 → ready

D 1 game   2 win
   3 pool   4 gym

Practice More

A 1 pass   2 gym
   3 dive   4 pool
   5 game   6 lose
   7 ready   8 win

B 1 game   2 win
   3 lose   4 gym
   5 Pass   6 dive
   7 ready   8 pool

Unit 15 Sport

Practice

A soccer ②   ski ①
   baseball ③   badminton ④

B 1 skating   2 basketball
   3 hockey   4 volleyball

C 1 스키 → ski

2 축구 → soccer

3 야구 → baseball

4 배드민턴 → badminton

D 1 skating 2 basketball

3 hockey 4 volleyball

Practice More

A 1 baseball 2 hockey

3 skating 4 ski

5 basketball 6 soccer

7 badminton 8 volleyball

B 1 badminton 2 soccer

3 baseball 4 hockey

5 ski 6 volleyball

7 skating 8 basketball

Review Unit 11-15

A 1 수영장 2 요리사

3 지다 4 농부

5 모양 6 마시다

7 깨(우)다 8 하트

9 스키 10 농구

B 1 soccer 2 circle

3 gym 4 cube

5 win 6 driver

7 painter 8 time

9 nap 10 baseball

C 1 sleep 2 Pass

3 dancer 4 game

5 ready 6 bus

7 wear

D 1 car 2 diamond

3 clover 4 badminton

5 reporter 6 stripes

7 comedian

Unit 16 Weather

Practice

A rainy ④ cloudy ③

weather ① sunny ②

B 1 windy 2 foggy

3 snowy 4 storm

C 1 비가 오는 → rainy

2 흐린 → cloudy

3 맑은 → sunny

4 날씨 → weather

D 1 windy 2 foggy

3 snowy 4 storm

Practice More

A 1 storm 2 rainy

3 cloudy 4 snowy

5 sunny 6 weather

7 windy 8 foggy

B 1 windy 2 sunny

3 weather 4 foggy

5 cloudy 6 snowy

7 rainy 8 storm

Unit 17 Hobby

Practice

A dancing ④ reading ③

singing ②   listening ①

B 1 watching   2 collecting
    3 drawing   4 writing

C 1 노래하기 → singing
    2 춤추기 → dancing
    3 듣기 → listening
    4 읽기 → reading

D 1 collecting   2 drawing
    3 watching   4 writing

Practice More

A 1 singing   2 reading
    3 collecting   4 watching
    5 listening   6 drawing
    7 writing   8 dancing

B 1 listening   2 dancing
    3 singing   4 writing
    5 drawing   6 reading
    7 collecting   8 watching

Unit 18 Color

Practice

A yellow ②   red ①
    orange ③   green ④

B 1 grey   2 pink
    3 purple   4 navy

C 1 빨간색 → red
    2 초록색 → green
    3 주황색 → orange
    4 노란색 → yellow

D 1 grey   2 pink
    3 purple   4 navy

Practice More

A 1 purple   2 red
    3 grey   4 yellow
    5 navy   6 green
    7 orange   8 pink

B 1 grey   2 yellow
    3 red   4 pink
    5 navy   6 orange
    7 purple   8 green

Unit 19 Time

Practice

A afternoon ③   morning ②
    evening ④   clock ①

B 1 fast   2 slow
    3 second   4 minute

C 1 시계 → clock
    2 저녁 → evening
    3 오후 → afternoon
    4 아침, 오전 → morning

D 1 second   2 slow
    3 minute   4 fast

Practice More

A 1 morning   2 clock
    3 afternoon 4 minute
    5 evening   6 second
    7 slow   8 fast

B 1 second   2 afternoon
    3 minute   4 evening
    5 clock   6 slow
    7 morning   8 fast

Unit 20 Movie

Practice

A   director ④   actor ②
     stage ③   actress ①

B   1   screen   2   number
    3   row   4   seat

C   1   배우 → actor
    2   여배우 → actress
    3   감독 → director
    4   무대 → stage

D   1   number   2   seat
    3   row   4   screen

Practice More

A   1   actress   2   director
    3   seat   4   stage
    5   row   6   number
    7   screen   8   actor

B   1   stage   2   screen
    3   actress   4   actor
    5   number   6   director
    7   seat   8   row

Review Unit 16~20

A   1   저녁   2   화면
    3   아침, 오전   4   초록색
    5   빨간색   6   노래하기
    7   번호   8   흐린
    9   글쓰기   10   비가 오는

B   1   sunny   2   dancing
    3   seat   4   orange

    5   afternoon   6   reading
    7   windy   8   stage
    9   clock   10   grey

C   1   row   2   pink
    3   actor   4   navy
    5   watching   6   snowy
    7   minute

D   1   director   2   drawing
    3   foggy   4   actress
    5   storm   6   collecting
    7   second

Unit 21 Computer

Practice

A   mouse ④   monitor ①
     keyboard ③   computer ②

B   1   laptop   2   printer
    3   scanner   4   tablet

C   1   마우스 → mouse
    2   모니터 → monitor
    3   키보드 → keyboard
    4   컴퓨터 → computer

D   1   printer   2   scanner
    3   tablet   4   laptop

Practice More

A   1   laptop   2   tablet
    3   scanner   4   monitor
    5   keyboard   6   mouse
    7   printer   8   computer

B   1   tablet   2   laptop
    3   printer   4   monitor

5 scanner   6 computer
7 keyboard   8 mouse

Unit 22 Season

Practice

A fall ③   spring ①
    winter ④   summer ②

B 1 season   2 blooming
    3 dry   4 wet

C 1 가을 → fall
    2 봄 → spring
    3 겨울 → winter
    4 여름 → summer

D 1 wet   2 season
    3 blooming 4 dry

Practice More

A 1 blooming   2 summer
    3 winter   4 season
    5 spring   6 dry
    7 wet   8 fall

B 1 summer   2 spring
    3 season   4 winter
    5 wet   6 dry
    7 blooming 8 fall

Unit 23 Café

Practice

A juice ③   tea ②
    coffee ①   soda ④

B 1 iced   2 cold
    3 café   4 hot

C 1 차 → tea
    2 주스 → juice
    3 탄산음료 → soda
    4 커피 → coffee

D 1 cold   2 hot
    3 café   4 iced

Practice More

A 1 soda   2 café
    3 juice   4 coffee
    5 tea   6 cold
    7 hot   8 iced

B 1 tea   2 hot
    3 iced   4 cold
    5 soda   6 coffee
    7 juice   8 café

Unit 24 Description

Practice

A soft ④   medium ②
    small ①   large ③

B 1 fat   2 thin
    3 long   4 short

C 1 커다란 → large
    2 작은 → small
    3 부드러운 → soft
    4 중간의 → medium

D 1 thin   2 short
    3 fat   4 long

Practice More

A
1 small   2 medium
3 thin   4 fat
5 large   6 long
7 soft   8 short

B
1 large   2 soft
3 short   4 medium
5 fat   6 long
7 small   8 thin

Unit 25   Basic Verbs

Practice

A   come ④   go ①
     have ③   pick ②

B
1 put   2 bring
3 take   4 get

C
1 가다 → go
2 오다 → come
3 가지다 → have
4 고르다 → pick

D
1 put   2 take
3 get   4 bring

Practice More

A
1 go   2 take
3 bring   4 come
5 pick   6 put
7 get   8 have

B
1 go   2 come
3 get   4 bring
5 pick   6 have
7 Put   8 Take

Review   Unit 21~25

A
1 키보드   2 긴
3 커피   4 작은
5 가지다   6 계절
7 주스   8 컴퓨터
9 여름   10 고르다

B
1 come   2 soda
3 printer   4 soft
5 tea   6 fat
7 spring   8 winter
9 mouse   10 go

C
1 medium   2 dry
3 iced   4 fall
5 thin   6 bring
7 short

D
1 café   2 get
3 hot   4 Put
5 laptop   6 monitor
7 tablet

VOCABULARY
MENTOR JOY START 2 Theme Words

Longman

Ink books
www.inkbooks.co.kr
무료 학습자료 다운로드 | 구매문의 02) 455 9620

Longman

VOCABULARY

MENTOR

JOY

START

Theme Words

단어쓰기노트 2

Pearson

Longman

Vocabulary

MENTOR

Theme
Words

JOY

단어 쓰기 노트

START

2

Pearson

✎ 다음 단어의 우리말 뜻을 쓰고, 영어로 4번씩 반복해서 쓰세요.

1	2	3	4
eye	nose	mouth	ear

눈

eye

5	6	7	8
body	head	lips	hips

🖊 다음 단어의 우리말 뜻을 쓰고, 영어로 4번씩 반복해서 쓰세요.

1	2	3	4
mother	father	grandpa	grandma

어머니

mother

5	6	7	8
big	little	twin	children

✎ 다음 단어의 우리말 뜻을 쓰고, 영어로 4번씩 반복해서 쓰세요.

1	2	3	4
school	**student**	**teacher**	**class**

학교

school

5	6	7	8
gate	**chalk**	**classroom**	**blackboard**

✎ 다음 단어의 우리말 뜻을 쓰고, 영어로 4번씩 반복해서 쓰세요.

1	2	3	4
bed	desk	chair	lamp
침대			
bed			

5	6	7	8
case	eraser	backpack	notebook

✎ 다음 단어의 우리말 뜻을 쓰고, 영어로 4번씩 반복해서 쓰세요.

1	2	3	4
bath	**mirror**	**wash**	**toilet**

목욕

bath

5	6	7	8
towel	**brush**	**toothpaste**	**shampoo**

✏️ 다음 단어의 우리말 뜻을 쓰고, 영어로 4번씩 반복해서 쓰세요.

1	2	3	4
room	sofa	table	rug

방

room

- -

- -

- -

5	6	7	8
window	door	wall	watch

- -

- -

- -

다음 단어의 우리말 뜻을 쓰고, 영어로 4번씩 반복해서 쓰세요.

1	2	3	4
toy	train	puzzle	blocks

장난감

toy

5	6	7	8
top	robot	doll	board

다음 단어의 우리말 뜻을 쓰고, 영어로 4번씩 반복해서 쓰세요.

1	2	3	4
book	comic	card	quiet
책			
book			

5	6	7	8
tale	writer	reader	bestseller

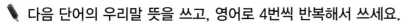 다음 단어의 우리말 뜻을 쓰고, 영어로 4번씩 반복해서 쓰세요.

1	2	3	4
study	math	English	science

공부(하다)

study

5	6	7	8
note	quiz	check	give

다음 단어의 우리말 뜻을 쓰고, 영어로 4번씩 반복해서 쓰세요.

1	2	3	4
walk	run	bench	flower

걷기, 걷다

walk

5	6	7	8
tree	jog	path	park

✎ 다음 단어의 우리말 뜻을 쓰고, 영어로 4번씩 반복해서 쓰세요.

1	2	3	4
driver	**farmer**	**cook**	**reporter**
운전자			
driver			

5	6	7	8
singer	**dancer**	**painter**	**comedian**

다음 단어의 우리말 뜻을 쓰고, 영어로 4번씩 반복해서 쓰세요.

1	2	3	4
wake	sleep	drink	nap

깨(우)다

wake

5	6	7	8
wear	bus	car	time

✎ 다음 단어의 우리말 뜻을 쓰고, 영어로 4번씩 반복해서 쓰세요.

1	2	3	4
heart	circle	clover	cube

하트

heart

5	6	7	8
stripes	shape	pyramid	diamond

✏️ 다음 단어의 우리말 뜻을 쓰고, 영어로 4번씩 반복해서 쓰세요.

1	2	3	4
ready	win	lose	dive

준비가 된

ready

5	6	7	8
pool	pass	game	gym

✎ 다음 단어의 우리말 뜻을 쓰고, 영어로 4번씩 반복해서 쓰세요.

1	2	3	4
ski	skating	soccer	baseball

스키

ski

5	6	7	8
basketball	volleyball	hockey	badminton

✎ 다음 단어의 우리말 뜻을 쓰고, 영어로 4번씩 반복해서 쓰세요.

1	2	3	4
sunny	cloudy	rainy	snowy

맑은

sunny

5	6	7	8
windy	foggy	storm	weather

다음 단어의 우리말 뜻을 쓰고, 영어로 4번씩 반복해서 쓰세요.

1	2	3	4
singing	dancing	writing	reading

노래하기

singing

5	6	7	8
listening	watching	drawing	collecting

다음 단어의 우리말 뜻을 쓰고, 영어로 4번씩 반복해서 쓰세요.

1	2	3	4
red	yellow	grey	pink

빨간색

red

5	6	7	8
purple	orange	green	navy

✎ 다음 단어의 우리말 뜻을 쓰고, 영어로 4번씩 반복해서 쓰세요.

1	2	3	4
morning	afternoon	evening	clock

아침, 오전

morning

5	6	7	8
minute	second	fast	slow

✏️ 다음 단어의 우리말 뜻을 쓰고, 영어로 4번씩 반복해서 쓰세요.

1	2	3	4
screen	stage	seat	number

화면

screen

5	6	7	8
row	actor	actress	director

✏️ 다음 단어의 우리말 뜻을 쓰고, 영어로 4번씩 반복해서 쓰세요.

1	2	3	4
computer	monitor	keyboard	mouse

컴퓨터

computer

5	6	7	8
laptop	tablet	scanner	printer

다음 단어의 우리말 뜻을 쓰고, 영어로 4번씩 반복해서 쓰세요.

1	2	3	4
spring	summer	fall	winter

봄

spring

5	6	7	8
season	wet	dry	blooming

다음 단어의 우리말 뜻을 쓰고, 영어로 4번씩 반복해서 쓰세요.

1	2	3	4
coffee	tea	juice	soda

커피

coffee

5	6	7	8
cold	hot	iced	café

✎ 다음 단어의 우리말 뜻을 쓰고, 영어로 4번씩 반복해서 쓰세요.

1	2	3	4
small	medium	large	soft

작은

small

5	6	7	8
long	short	fat	thin

✎ 다음 단어의 우리말 뜻을 쓰고, 영어로 4번씩 반복해서 쓰세요.

1	2	3	4
go	come	have	pick

가다

go

5	6	7	8
take	bring	get	put

memo

Longman

Vocabulary

MENTOR
JOY

Theme Words

WORKBOOK

START

2

Pearson

보기	mouth	body	eye	hips
	lips	ear	head	nose

A 우리말 뜻을 보고 알맞은 단어를 보기 에서 찾아 쓰세요.

1 엉덩이 → _____

2 귀 → _____

3 입술 → _____

4 입 → _____

5 머리 → _____

6 눈 → _____

7 몸(신체) → _____

8 코 → _____

B 우리말과 같도록 보기 에서 알맞은 단어를 찾아 영어표현을 완성하세요.

1 한쪽 눈 → one _____

2 높은 코 → a high _____

3 너의 입 → your _____

4 엉덩이를 흔들다 → swing the _____

5 입술에 → on the _____

6 인간의 몸 → a human _____

7 큰 머리 → a big _____

8 나의 귀 → my _____

A 우리말 뜻을 보고 알맞은 단어를 보기 에서 찾아 쓰세요.

1 작은, 어린 → _____

2 아버지 → _____

3 어머니 → _____

4 큰, 나이많은 → _____

5 할아버지 → _____

6 할머니 → _____

7 아이들 → _____

8 쌍둥이 → _____

B 우리말과 같도록 보기 에서 알맞은 단어를 찾아 영어표현을 완성하세요.

1 세 명의 **아이들** → three _____

2 **쌍둥이** 아들들 → _____ sons

3 너의 **할머니** → your _____

4 **어린** 자매 (여동생) → a ____ _____ sister

5 그의 **할아버지** → his _____

6 나의 **어머니** → my _____

7 **큰형** → a _____ brother

8 톰의 **아버지** → Tom's _____

보기				
	school	classroom	class	blackboard
	chalk	gate	teacher	student

A 우리말 뜻을 보고 알맞은 단어를 보기 에서 찾아 쓰세요.

1 칠판 → _____

2 학교 → _____

3 선생님 → _____

4 학생 → _____

5 수업 → _____

6 분필 → _____

7 교실 → _____

8 (정)문 → _____

B 우리말과 같도록 보기 에서 알맞은 단어를 찾아 영어표현을 완성하세요.

1 영리한 **학생** → a smart _____

2 **수업** 중이다 → be in _____

3 **교실**에서 → in the _____

4 **칠판**에 → on the _____

5 고등**학교** → a high _____

6 담임**선생님** → a homeroom _____

7 빨간색 **분필** → a red _____

8 **정문** → a main _____

보기	eraser	lamp	chair	bed
	desk	case	backpack	notebook

A 우리말 뜻을 보고 알맞은 단어를 보기 에서 찾아 쓰세요.

1 배낭 → _____

2 공책 → _____

3 침대 → _____

4 책상 → _____

5 지우개 → _____

6 의자 → _____

7 통, 상자 → _____

8 램프, 등 → _____

B 우리말과 같도록 보기 에서 알맞은 단어를 찾아 영어표현을 완성하세요.

1 **등**을 켜다 → turn on the _____

2 큰 **책상** → a big _____

3 **의자** 아래에 → under the _____

4 1인용 **침대** → a single _____

5 **지우개**가 필요하다 → need an _____

6 필**통** → a pencil _____

7 오래된 **배낭** → an old _____

8 새 **공책** → a new _____

A 우리말 뜻을 보고 알맞은 단어를 보기 에서 찾아 쓰세요.

1 목욕 → _____

2 샴푸 → _____

3 거울 → _____

4 닦다, 솔질하다 → _____

5 치약 → _____

6 씻다 → _____

7 화장실 → _____

8 수건 → _____

B 우리말과 같도록 보기 에서 알맞은 단어를 찾아 영어표현을 완성하세요.

1 나의 얼굴을 **씻다** → _____ my face

2 (**화장실**) 휴지 → _____ paper

3 새 **샴푸** → new _____

4 **수건**을 걸다 → hang the _____

5 **치약** 한 개 → a tube of _____

6 나의 이를 **닦다** → _____ my teeth

7 둥근 **거울** → a round _____

8 **목욕**하다 → take a _____

sofa	door	window	watch
table	wall	rug	room

A 우리말 뜻을 보고 알맞은 단어를 보기 에서 찾아 쓰세요.

1 벽 → _____

2 문 → _____

3 탁자 → _____

4 방 → _____

5 소파 → _____

6 창문 → _____

7 양탄자 → _____

8 보다 → _____

B 우리말과 같도록 보기 에서 알맞은 단어를 찾아 영어표현을 완성하세요.

1 **문**을 닫다 → close the _____

2 차 (놓는) **탁자** → a tea _____

3 **창문**을 열다 → open the _____

4 **벽**을 칠하다 → paint the _____ _____

5 **양탄자**를 사다 → buy a _____

6 거실(**방**) → a living _____

7 **소파**를 옮기다 → move the _____

8 TV를 **보다** → _____ TV

보기

blocks	doll	toy	train
board	top	robot	puzzle

A 우리말 뜻을 보고 알맞은 단어를 보기 에서 찾아 쓰세요.

1 기차 → _____

2 보드, 판자 → _____

3 로봇 → _____

4 팽이 → _____

5 인형 → _____

6 블록 → _____

7 장난감 → _____

8 퍼즐 → _____

B 우리말과 같도록 보기 에서 알맞은 단어를 찾아 영어표현을 완성하세요.

1 장난감 **기차** → a toy _____

2 **보드** 게임 → a _____ game

3 **팽이**를 돌리다 → spin a _____

4 **블록**을 쌓다 → build _____

5 바비 **인형** → a Barbie _____

6 **퍼즐** 게임 → a _____ game

7 **장난감** 상자 → a _____ box

8 나의 첫 번째 **로봇** → my first _____

보기	tale	quiet	bestseller	writer
	book	card	reader	comic

A 우리말 뜻을 보고 알맞은 단어를 보기 에서 찾아 쓰세요.

1 조용한 → _____

2 책 → _____

3 이야기 → _____

4 카드 → _____

5 작가 → _____

6 베스트셀러 → _____

7 독자 → _____

8 만화(의) → _____

B 우리말과 같도록 보기 에서 알맞은 단어를 찾아 영어표현을 완성하세요.

1 플래시 **카드** → a flash _____

2 **베스트셀러** 목록 → the _____ list

3 훌륭한 **독자** → a good _____

4 **만화**책 → _____ books

5 **조용한** 목소리 → a _____ voice

6 요정 **이야기**(동화) → a fairy _____

7 **작가**가 되다 → be a _____

8 이야기**책** → a story _____

보기	science	study	math	give
	English	check	note	quiz

A 우리말 뜻을 보고 알맞은 단어를 보기 에서 찾아 쓰세요.

1 공부(하다) → _____

2 영어 → _____

3 메모 → _____

4 퀴즈 → _____

5 과학 → _____

6 수학 → _____

7 주다 → _____

8 확인하다 → _____

B 우리말과 같도록 보기 에서 알맞은 단어를 찾아 영어표현을 완성하세요.

1 **과학** 선생님 → a _____ teacher

2 **수학** 문제 → a _____ problem

3 **영어**로 → in _____

4 **메모**하다 → make a _____

5 깜짝 **퀴즈** → a pop _____

6 열심히 **공부하다** → _____ hard

7 힌트를 **주다** → _____ a hint

8 숙제를 **확인하다** → _____ homework

보기	jog	walk	park	tree
	flower	path	bench	run

A 우리말 뜻을 보고 알맞은 단어를 보기 에서 찾아 쓰세요.

1 걷기, 걷다 → ＿＿＿＿＿＿＿

2 조깅하다 → ＿＿＿＿＿＿＿

3 꽃 → ＿＿＿＿＿＿＿

4 공원 → ＿＿＿＿＿＿＿

5 벤치 → ＿＿＿＿＿＿＿

6 나무 → ＿＿＿＿＿＿＿

7 달리다 → ＿＿＿＿＿＿＿

8 길 → ＿＿＿＿＿＿＿

B 우리말과 같도록 보기 에서 알맞은 단어를 찾아 영어표현을 완성하세요.

1 매일 **조깅하다** → ＿＿＿＿＿＿ every day

2 **벤치**에서 → on the ＿＿＿＿＿＿

3 산책**(걷기)**하다 → take a ＿＿＿＿＿＿

4 **공원**에서 → in the ＿＿＿＿＿＿

5 **길**을 따라서 → along the ＿＿＿＿＿＿

6 **꽃**단지(화분) → a ＿＿＿＿＿＿ pot

7 빨리 **달리다** → ＿＿＿＿＿＿ fast

8 소나무 → a pine ＿＿＿＿＿＿

보기	driver	farmer	dancer	singer
	painter	comedian	cook	reporter

A 우리말 뜻을 보고 알맞은 단어를 보기 에서 찾아 쓰세요.

1 가수 → _____

2 코미디언 → _____

3 요리사 → _____

4 화가 → _____

5 운전자 → _____

6 농부 → _____

7 기자 → _____

8 댄서, 무용수 → _____

B 우리말과 같도록 보기 에서 알맞은 단어를 찾아 영어표현을 완성하세요.

1 신문 **기자** → a news _____

2 버스 **운전자** → a bus _____

3 부유한 **농부** → a rich _____

4 훌륭한 **요리사** → a good _____

5 케이팝 **가수** → a K-pop _____

6 위대한 **화가** → a great _____

7 유명한 **댄서** → a famous _____

8 인기 있는 **코미디언** → a popular _____

보기	time	car	nap	wake
	wear	sleep	bus	drink

A 우리말 뜻을 보고 알맞은 단어를 보기 에서 찾아 쓰세요.

1 시간 → _____   2 자다 → _____

3 자동차 → _____   4 깨(우)다 → _____

5 낮잠 → _____   6 버스 → _____

7 마시다 → _____   8 입다 → _____

B 우리말과 같도록 보기 에서 알맞은 단어를 찾아 영어표현을 완성하세요.

1 주스를 **마시다** → _____ juice

2 유니폼을 **입다** → _____ a uniform

3 잘 **시간** → _____ to sleep

4 **자동차**를 타다 → get in the _____

5 **버스**를 타다 → take a _____

6 나를 **깨우다** → _____ me up

7 **낮잠** 자다 → take a _____

8 늦잠 **자다** → _____ in

shape	cube	pyramid	clover
stripes	diamond	circle	heart

A 우리말 뜻을 보고 알맞은 단어를 보기 에서 찾아 쓰세요.

1 줄무늬 → _____

2 모양 → _____

3 마름모 → _____

4 클로버 → _____

5 하트 → _____

6 원 → _____

7 피라미드 → _____

8 정육면체 → _____

B 우리말과 같도록 보기 에서 알맞은 단어를 찾아 영어표현을 완성하세요.

1 **정육면체**를 만들다 → make a _____

2 빨간 **원** → a red _____

3 **피라미드**를 그리다 → draw a _____

4 **마름모**를 색칠하다 → paint a _____

5 커다란 **줄무늬** → large _____

6 같은 **모양** → the same _____

7 네 잎 **클로버** → a four-leaf _____

8 큰 **하트** → a big _____

보기

| win | pool | pass | gym |
| ready | dive | lose | game |

A 우리말 뜻을 보고 알맞은 단어를 보기 에서 찾아 쓰세요.

1 이기다 → _____ 2 수영장 → _____

3 뛰어들다 → _____ 4 지다 → _____

5 체육관 → _____ 6 준비가 된 → _____

7 패스하다 → _____ 8 경기 → _____

B 우리말과 같도록 보기 에서 알맞은 단어를 찾아 영어표현을 완성하세요.

1 **체육관**에서 → at the _____

2 공을 **패스하다** → _____ the ball

3 경기를 **이기다** → _____ the game

4 농구 **경기** → a basketball _____

5 **수영장** → a swimming _____

6 경주를 **지다** → _____ the race

7 **준비가 되**다 → be _____

8 강 속으로 **뛰어들다** → _____ into a river

보기	basketball	skating	hockey	baseball
	ski	volleyball	soccer	badminton

A 우리말 뜻을 보고 알맞은 단어를 보기 에서 찾아 쓰세요.

1 스케이트 타기 → _____

2 농구 → _____

3 배구 → _____

4 하키 → _____

5 스키 → _____

6 축구 → _____

7 배드민턴 → _____

8 야구 → _____

B 우리말과 같도록 보기 에서 알맞은 단어를 찾아 영어표현을 완성하세요.

1 **하키** 스틱 → a _____ stick

2 **스키** 여행 → a _____ trip

3 **축구** 경기 → a _____ game

4 **스케이트 타러** 가다 → go _____

5 **농구** 선수 → a _____ player

6 **배구** 코치 → a _____ coach

7 **배드민턴** 라켓 → a _____ racket

8 **야구**를 하다 → play _____

A 우리말 뜻을 보고 알맞은 단어를 보기 에서 찾아 쓰세요.

1 눈이 오는 → _____

2 흐린 → _____

3 맑은 → _____

4 폭풍 → _____

5 안개가 낀 → _____

6 비가 오는 → _____

7 바람이 부는 → _____

8 날씨 → _____

B 우리말과 같도록 보기 에서 알맞은 단어를 찾아 영어표현을 완성하세요.

1 좋은 **날씨** → good _____

2 **바람이 불**다 → be _____

3 너무 **흐린** → too _____

4 **비가 오는** 시즌(장마철) → the _____ season

5 약간 **안개가 낀** → a little _____

6 춥고 **눈이 오는** → cold and _____

7 **맑은** 날에 → on a _____ day

8 **폭풍** 후에 → after the _____

writing	drawing	singing	watching
collecting	listening	dancing	reading

A 우리말 뜻을 보고 알맞은 단어를 보기 에서 찾아 쓰세요.

1 그리기 → _____

2 보기 → _____

3 글쓰기 → _____

4 노래하기 → _____

5 듣기 → _____

6 읽기 → _____

7 춤추기 → _____

8 모으기 → _____

B 우리말과 같도록 보기 에서 알맞은 단어를 찾아 영어표현을 완성하세요.

1 **읽기**를 즐기다 → enjoy _____

2 우표 **모으기** → _____ stamps

3 음악 **듣기** → _____ to music

4 **노래하기**를 좋아하다 → like _____

5 **춤추기**를 잘하는 → good at _____

6 **글쓰기**를 못 하는 → poor at _____

7 **그리기**를 싫어하다 → hate _____

8 TV **보기** → _____ TV

A 우리말 뜻을 보고 알맞은 단어를 보기 에서 찾아 쓰세요.

1 초록색 → _____

2 보라색 → _____

3 노란색 → _____

4 빨간색 → _____

5 주황색 → _____

6 회색 → _____

7 분홍색 → _____

8 군청색 → _____

B 우리말과 같도록 보기 에서 알맞은 단어를 찾아 영어표현을 완성하세요.

1 **주황색** 바지 → _____ pants

2 **노란색** 풍선 → a _____ balloon

3 **보라색** 치마 → a _____ skirt

4 어두운 **회색** → dark _____

5 **초록색** 토마토 → _____ tomatoes

6 밝은 **분홍색** → light _____

7 **빨간색**으로 → in _____

8 **군청색** 셔츠 → a _____ shirt

보기	second	evening	minute	fast
	slow	afternoon	clock	morning

A 우리말 뜻을 보고 알맞은 단어를 보기 에서 찾아 쓰세요.

1 아침, 오전 → _____   2 시계 → _____

3 느린 → _____   4 오후 → _____

5 초 → _____   6 빠른 → _____

7 저녁 → _____   8 분 → _____

B 우리말과 같도록 보기 에서 알맞은 단어를 찾아 영어표현을 완성하세요.

1 알람 **시계** → an alarm _____

2 걸음이 **느린** 사람 → a _____ walker

3 **아침**에 → in the _____

4 **빠른** 주자 → a _____ runner

5 **오후**에 → in the _____

6 **저녁**에 → in the _____

7 **초**당 → per _____

8 **일 분** → a _____

보기	seat	director	stage	row
	actress	number	actor	screen

A 우리말 뜻을 보고 알맞은 단어를 보기 에서 찾아 쓰세요.

1 좌석 → _____ 2 번호 → _____

3 감독 → _____ 4 화면 → _____

5 배우 → _____ 6 열 → _____

7 무대 → _____ 8 여배우 → _____

B 우리말과 같도록 보기 에서 알맞은 단어를 찾아 영어표현을 완성하세요.

1 신인 **여배우** → a new _____

2 티켓 **번호** → a ticket _____

3 **무대**에서 → on the _____

4 영화 **배우** → a movie _____

5 뒤 **열** → a back _____

6 큰 **화면** → a big _____

7 유명한 **감독** → a famous _____

8 **좌석**에 앉다 → have a _____

scanner	mouse	computer	tablet
laptop	keyboard	printer	monitor

A 우리말 뜻을 보고 알맞은 단어를 보기 에서 찾아 쓰세요.

1 프린터 → _____

2 컴퓨터 → _____

3 노트북 → _____

4 태블릿 → _____

5 스캐너 → _____

6 마우스 → _____

7 키보드 → _____

8 모니터 → _____

B 우리말과 같도록 보기 에서 알맞은 단어를 찾아 영어표현을 완성하세요.

1 **태블릿** PC → a _____ PC

2 **마우스**를 클릭하다 → click a _____

3 오래된 **컴퓨터** → an old _____

4 **스캐너**를 사다 → buy a _____

5 새 **키보드** → a new _____

6 **노트북** 컴퓨터 → a _____ computer

7 큰 **모니터** → a big _____

8 컬러 **프린터** → a color _____

보기

spring	winter	dry	fall
summer	season	wet	blooming

A 우리말 뜻을 보고 알맞은 단어를 보기 에서 찾아 쓰세요.

1 습한 → _____

2 봄 → _____

3 여름 → _____

4 가을 → _____

5 겨울 → _____

6 건조한 → _____

7 꽃이 피는 → _____

8 계절 → _____

B 우리말과 같도록 보기 에서 알맞은 단어를 찾아 영어표현을 완성하세요.

1 이른 **봄** → early _____

2 **가을**에 → in the _____

3 **건조하**고 더운 → _____ and hot

4 **습한** 계절 → _____ season

5 늦은 **여름** → late _____

6 **겨울**방학 → the _____ vacation

7 건조한 **계절** → dry _____

8 **꽃이 피는** 달 → a _____ month

| 보기 | cold | juice | soda | tea |
| | coffee | iced | café | hot |

A 우리말 뜻을 보고 알맞은 단어를 보기 에서 찾아 쓰세요.

1 커피 → _____

2 카페 → _____

3 차 → _____

4 탄산음료 → _____

5 뜨거운 → _____

6 얼음이 있는 → _____

7 차가운 → _____

8 주스 → _____

B 우리말과 같도록 보기 에서 알맞은 단어를 찾아 영어표현을 완성하세요.

1 **카페**에서 → in the _____

2 **뜨거운** 차 → _____ tea

3 **얼음이 있는** 음료 → an _____ drink

4 사과 **주스** → apple _____

5 진한 **커피** → strong _____

6 **탄산음료**를 주문하다 → order a _____

7 녹차 → green _____

8 **차가운** 물 → _____ water

short	medium	soft	large
long	fat	thin	small

A 우리말 뜻을 보고 알맞은 단어를 보기 에서 찾아 쓰세요.

1 마른 → _____ 2 부드러운 → _____

3 중간의 → _____ 4 뚱뚱한 → _____

5 커다란 → _____ 6 짧은 → _____

7 작은 → _____ 8 긴 → _____

B 우리말과 같도록 보기 에서 알맞은 단어를 찾아 영어표현을 완성하세요.

1 **중간** 사이즈 → a _____ size

2 **커다란** 코끼리 → a _____ elephant

3 **짧은** 머리 → _____ hair

4 **긴** 탁자 → a _____ table

5 **뚱뚱해**지다 → get _____

6 **부드러운** 수건 → a _____ towel

7 **말라** 보이다 → look _____

8 **작은** 새 → a _____ bird

A 우리말 뜻을 보고 알맞은 단어를 보기 에서 찾아 쓰세요.

1 오다 → _____

2 가다 → _____

3 놓다 → _____

4 받다 → _____

5 가지고 가다 → _____

6 고르다 → _____

7 가지고 오다 → _____

8 가지다 → _____

B 우리말과 같도록 보기 에서 알맞은 단어를 찾아 영어표현을 완성하세요.

1 돌아**오다** → _____ back

2 우산을 **가지고 가다** → _____ an umbrella

3 책을 **놓다** → _____ a book

4 편지를 **받다** → _____ a letter

5 점심을 **가지고 오다** → _____ lunch

6 자동차를 **가지다** → _____ a car

7 집에 **가다** → _____ home

8 카드를 **고르다** → _____ a card

VOCABULARY
MENTOR JOY
START 2

ANSWERS
정답

ANSWERS 정답

Unit 01

A
1	hips	2	ear
3	lips	4	mouth
5	head	6	eye
7	body	8	nose

B
1	eye	2	nose
3	mouth	4	hips
5	lips	6	body
7	head	8	ear

Unit 02

A
1	little	2	father
3	mother	4	big
5	grandpa	6	grandma
7	children	8	twin

B
1	children	2	twin
3	grandma	4	little
5	grandpa	6	mother
7	big	8	father

Unit 03

A
1	blackboard	2	school
3	teacher	4	student
5	class	6	chalk
7	classroom	8	gate

B
1	student	2	class
3	classroom	4	blackboard
5	school	6	teacher
7	chalk	8	gate

Unit 04

A
1	backpack	2	notebook
3	bed	4	desk
5	eraser	6	chair
7	case	8	lamp

B
1	lamp	2	desk
3	chair	4	bed
5	eraser	6	case
7	backpack	8	notebook

Unit 05

A
1	bath	2	shampoo
3	mirror	4	brush
5	toothpaste	6	wash
7	toilet	8	towel

B
1	wash	2	toilet
3	shampoo	4	towel
5	toothpaste	6	brush
7	mirror	8	bath

Unit 06

A
1	wall	2	door
3	table	4	room
5	sofa	6	window
7	rug	8	watch

B
1	door	2	table
3	window	4	wall
5	rug	6	room
7	sofa	8	watch

Unit 07

A
1 train
2 board
3 robot
4 top
5 doll
6 blocks
7 toy
8 puzzle

B
1 train
2 board
3 top
4 blocks
5 doll
6 puzzle
7 toy
8 robot

Unit 08

A
1 quiet
2 book
3 tale
4 card
5 writer
6 bestseller
7 reader
8 comic

B
1 card
2 bestseller
3 reader
4 comic
5 quiet
6 tale
7 writer
8 book

Unit 09

A
1 study
2 English
3 note
4 quiz
5 science
6 math
7 give
8 check

B
1 science
2 math
3 English
4 note
5 quiz
6 study
7 give
8 check

Unit 10

A
1 walk
2 jog
3 flower
4 park
5 bench
6 tree
7 run
8 path

B
1 jog
2 bench
3 walk
4 park
5 path
6 flower
7 run
8 tree

Unit 11

A
1 singer
2 comedian
3 cook
4 painter
5 driver
6 farmer
7 reporter
8 dancer

B
1 reporter
2 driver
3 farmer
4 cook
5 singer
6 painter
7 dancer
8 comedian

Unit 12

A
1 time
2 sleep
3 car
4 wake
5 nap
6 bus
7 drink
8 wear

B
1 drink
2 wear
3 time
4 car
5 bus
6 wake
7 nap
8 sleep

Unit 13

A
1	stripes	2	shape
3	diamond	4	clover
5	heart	6	circle
7	pyramid	8	cube

B
1	cube	2	circle
3	pyramid	4	diamond
5	stripes	6	shape
7	clover	8	heart

Unit 14

A
1	win	2	pool
3	dive	4	lose
5	gym	6	ready
7	pass	8	game

B
1	gym	2	pass
3	win	4	game
5	pool	6	lose
7	ready	8	dive

Unit 15

A
1	skating	2	basketball
3	volleyball	4	hockey
5	ski	6	soccer
7	badminton	8	baseball

B
1	hockey	2	ski
3	soccer	4	skating
5	basketball	6	volleyball
7	badminton	8	baseball

Unit 16

A
1	snowy	2	cloudy
3	sunny	4	storm
5	foggy	6	rainy
7	windy	8	weather

B
1	weather	2	windy
3	cloudy	4	rainy
5	foggy	6	snowy
7	sunny	8	storm

Unit 17

A
1	drawing	2	watching
3	writing	4	singing
5	listening	6	reading
7	dancing	8	collecting

B
1	reading	2	collecting
3	listening	4	singing
5	dancing	6	writing
7	drawing	8	watching

Unit 18

A
1	green	2	purple
3	yellow	4	red
5	orange	6	grey
7	pink	8	navy

B
1	orange	2	yellow
3	purple	4	grey
5	green	6	pink
7	red	8	navy

Unit 19

A
1	morning	2	clock
3	slow	4	afternoon
5	second	6	fast
7	evening	8	minute

B
1	clock	2	slow
3	morning	4	fast
5	afternoon	6	evening
7	second	8	minute

Unit 20

A
1	seat	2	number
3	director	4	screen
5	actor	6	row
7	stage	8	actress

B
1	actress	2	number
3	stage	4	actor
5	row	6	screen
7	director	8	seat

Unit 21

A
1	printer	2	computer
3	laptop	4	tablet
5	scanner	6	mouse
7	keyboard	8	monitor

B
1	tablet	2	mouse
3	computer	4	scanner
5	keyboard	6	laptop
7	monitor	8	printer

Unit 22

A
1	wet	2	spring
3	summer	4	fall
5	winter	6	dry
7	blooming	8	season

B
1	spring	2	fall
3	dry	4	wet
5	summer	6	winter
7	season	8	blooming

Unit 23

A
1	coffee	2	café
3	tea	4	soda
5	hot	6	iced
7	cold	8	juice

B
1	café	2	hot
3	iced	4	juice
5	coffee	6	soda
7	tea	8	cold

Unit 24

A
1	thin	2	soft
3	medium	4	fat
5	large	6	short
7	small	8	long

B
1	medium	2	large
3	short	4	long
5	fat	6	soft
7	thin	8	small

Unit 25

A
1 come
2 go
3 put
4 get
5 take
6 pick
7 bring
8 have

B
1 come
2 take
3 put
4 get
5 bring
6 have
7 go
8 pick